CYNNWYS

CYFLWYNIAD I'R ATHRO

Dyma rôl draddodiadol yr athro mewn tasg ysgrifenedig - lle nad yw'n trafod gyda'r plentyn.

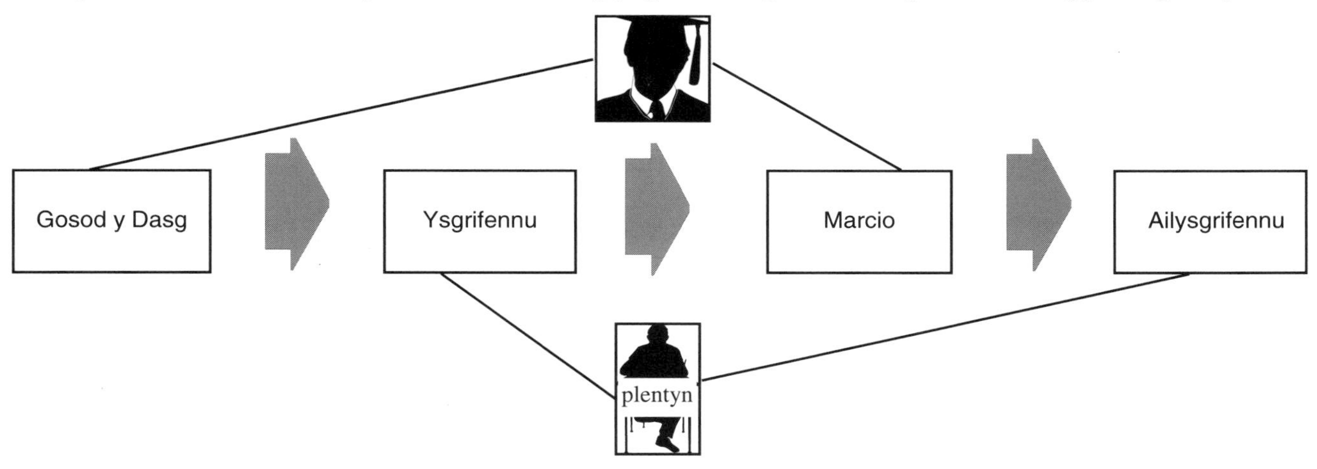

Mae'r dull a awgrymir yn y cynllun yma yn golygu llawer mwy o drafod rhwng plentyn ac athro.

Dylai'r trafod, awgrymu, beirniadu a chywiro yma ddigwydd tra bo'r plentyn yn creu'r gwaith ysgrifenedig.

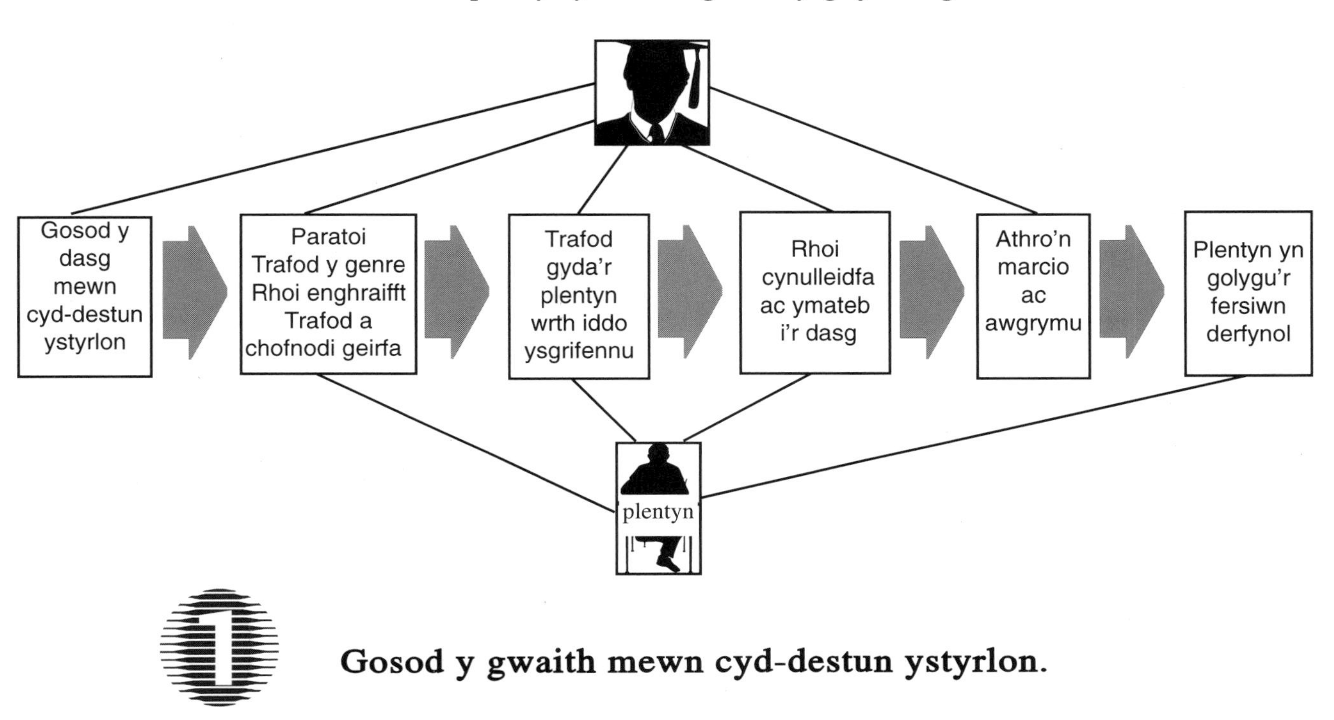

1 Gosod y gwaith mewn cyd-destun ystyrlon.

Y rhan bwysicaf o'r wers yw rhoi ystyr a phwrpas i'r gwaith ysgrifenedig.

Mewn bywyd bob dydd mae neges ysgrifenedig bob amser yn tarddu o brofiad neu gymhelliad ar ran yr unigolyn sy'n danfon y neges. Gwaith anodd yr athro yw ceisio creu'r profiad neu'r cymhelliad hwnnw yn y disgybl. Er mwyn gwneud hynny rhaid defnyddio unrhyw ddull posibl megis dangos lluniau, creu darlun geiriol, tynnu llun, darllen testun, edrych ar fideo, gwrando ar dâp, meimio, gwisgo, arbrofi, ymchwilio, chwarae rôl, dramaeiddio a thrafod.

Rhoi'r gwaith ysgrifenedig mewn cyd-destun (drwy gyfrwng dramaeiddio, chwarae rôl ac yn arbennig drwy drafod) yw'r unig ffordd o roi ystyr ac arwyddocâd iddo.

Paratoi.

Trafod y Genre

Mae'r iaith ysgrifenedig wedi datblygu confensiynau arbennig ar gyfer pob ffurf, sef ffordd arbennig o osod y neges ar bapur. Mae'n bwysig bod y disgyblion yn deall ac yn gwybod y confensiynau sy'n perthyn i bob genre ac yn gallu eu defnyddio.

Llythyr Busnes

Papur Newydd

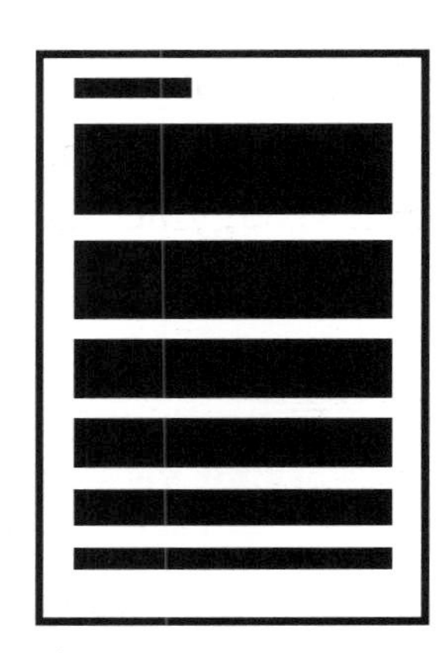

Bwletin Newyddion

Arddull y Genre

Mae i bob ffurf arddull arbennig. Dylai'r athro dynnu sylw'r disgyblion at arddull y genre arbennig dan sylw. Rhaid tynnu sylw at natur yr iaith - pa mor ffurfiol neu lafar yw iaith y ffurf arbennig yma. Er enghraifft, rhaid i'r disgyblion sylweddoli na ddylen nhw ddefnyddio ffurfiau llenyddol mewn drama na ffurfiau llafar mewn cofnodion pwyllgor.

Rhoi Enghraifft

Rhaid i'r disgybl gael enghraifft o'r gwaith y disgwylir iddo ei wneud - efelychu a chreu yw'r unig ffordd y mae'n mynd i ddatblygu'n feistr ar unrhyw ffurf lenyddol.

Trafod Geirfa

Rhan hanfodol arall o'r paratoi yw cyflwyno geirfa arbennig y pwnc neu'r ffurf dan sylw i'r disgybl. Y ffordd orau o wneud hyn yw trafod y pwnc a chofnodi naill ai ar y bwrdd du neu yn llyfrau'r disgyblion yr eirfa sy'n gysylltiedig â'r gwaith.

Trafod gyda'r plentyn yn ystod y dasg.

Yn y gorffennol bu tuedd i osod gwaith ac wedyn gadael i'r disgybl ei gwblhau cyn cywiro, awgrymu a marcio'r gwaith.

Llawer gwell yw bod yr athro, rhyw ddeng munud ar ôl i'r disgyblion ddechrau ysgrifennu, yn cychwyn ar ei daith o gwmpas y dosbarth yn rhoi munud neu ddwy i bob un ac yn cynnig awgrymiadau a sylwadau a thrafod gyda disgyblion unigol wrth iddyn nhw greu.

Rhoi cynulleidfa ac ymateb i'r dasg.

Mae'n hollbwysig bod y disgybl yn cael cynulleidfa i'w waith naill ai drwy ei fod ef/hi ei hun yn ei ddarllen i'r dosbarth neu'r athro'n darllen darnau ohono i'r dosbarth. Mae'r ffaith fod rhywun yn derbyn y neges yn y modd yma yn rhoi pwrpas i'r neges.

Mae sylwadau adeiladol yr athro ar ei waith (o flaen eraill) yn bwysig iawn i'r disgybl. Rhaid i'r athro, wrth gwrs, weld rhyw rinwedd hyd yn oed yn y gwaith gwannaf. Cofiwch fod darllen y gwaith yn uchel yn atgyfnerthu'r cof ac yn rhoi cyfle i ddisgyblion gwan elwa drwy glywed gwaith y disgyblion gorau.

Marcio'r dasg.

Peidiwch â chywiro pob gwall sillafu gan fod y marciau coch yn digalonni'r disgyblion ac yn wastraff amser. Gwell yw rhoi ffurf gywir rhyw dri gwall allweddol, rhoi cylch amdanyn nhw - gyda'r disgybl yn sylweddoli bod hyn yn golygu eu copïo ar ymyl y dudalen bump gwaith yr un.

Tynnwch sylw at: (a) addasrwydd cynnwys; (b) addasrwydd arddull; (c) trefn resymegol.

Gwastraff amser yw *Da/Da Iawn/Gweddol* ar ddiwedd gwaith neu farc allan o ddeg neu gant. Gwell o lawer yw sylwadau adeiladol ac awgrymu sut y gall y disgybl olygu'r testun yn effeithiol.

Golygu'r dasg.

Mae rhoi i'r disgybl gerdyn gyda'r canllawiau golygu arnyn nhw yn help mawr. Awgrymir cerdyn golygu gyda chanllawiau golygu iaith/arddull ar un ochr a chanllawiau golygu cynnwys/trefn ar yr ochr arall.

Canllawiau Golygu - Iaith/Arddull

1. Ydy'r atalnodi'n gywir?
2. Ydy'r sillafu'n gywir?
(Defnyddiwch eich geiriadur!)
3. Oes amrywiaeth yn y ffordd o frawddegu?
4. Oes yma frawddegau sy'n rhy hir?
5. Oes eisiau paragraffu?

Canllawiau Golygu - Cynnwys/Trefn

1. Ydy'r cyfan yn hawdd ei ddarllen a'i ddeall?
2. Ydy'r cyfan wedi'i osod ar y dudalen yn unol â gofynion y genre?
3. Ydy'r wybodaeth mewn trefn resymegol?
4. Ydy pob gwybodaeth sy'n angenrheidiol yma?
5. Oes darnau amherthnasol, diangen yma?

Hwyl Ysgrifennu yw enw'r llyfr yma. Rwy'n gobeithio'n fawr y bydd y trafod rhwng yr athro a'r disgyblion cyn, yn ystod, ac ar ôl y gwaith ysgrifenedig yn rhoi hwyl i'r dysgu.

SÊR-DDEWINO

Y CARIWR DŴR

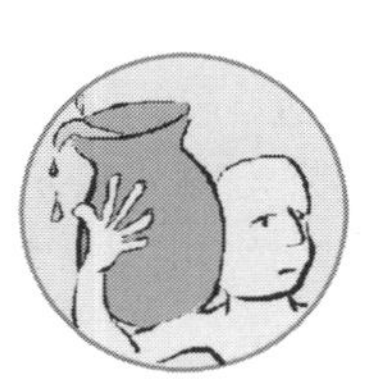

Rydych chi wedi bod yn eiddigeddus o un o'ch ffrindiau. **Rhaid i chi** beidio â meddwl bod bywyd pobl eraill yn well na'ch bywyd chi. Mae gan eich ffrind lawer o broblemau a gofid, felly cydymdeimlwch â hi. Rhaid i chi sylweddoli eich bod chi gystal ag unrhyw un arall - peidiwch ag ofni neb a wynebwch y byd yn llawen.

Y PYSGOD

Efallai y byddwch chi'n teimlo'n ddiamynedd pan fydd rhywun yn dod i ofyn i chi am help y mis yma. **Peidiwch â bod** yn ddiamynedd, ond rhowch amser i wrando ac i helpu. Fe fyddwch chi yn y pen draw yn cael pleser mawr o helpu, er i'r peth fod yn llawer o drafferth ar y pryd.

Y MAHAREN

Fe fyddwch chi'r mis yma yn teimlo fel sgrechian a gweiddi ar rywun. Ond peidiwch! Cadw'n dawel yw'r peth gorau. Er hynny, rhaid i chi fod yn gadarn a pheidio â gadael i neb gymryd mantais ohonoch chi. Rhaid i chi fod yn gwrtais ond hefyd yn gadarn.

Y TARW

Fe fyddwch chi'n brysur iawn ond rhaid i chi beidio â gadael i bethau fynd yn drech na chi. **Rhaid i chi** gymryd amser i wneud popeth yn iawn. **Beth bynnag wnewch chi rhaid i chi beidio â** gwylltio a mynd i banig llwyr. Cymerwch amser bob dydd i feddwl beth yw'r pethau pwysig yn eich bywyd.

YR EFEILLIAID

Bydd raid i chi wneud dewis pwysig yn ystod y mis yma. **Rydych chi'n** tueddu i roi pobl eraill yn gyntaf drwy'r amser, felly cofiwch eich bod chi hefyd yn haeddu cael sylw ac amser da. Byddwch yn ofalus i beidio â gwario gormod y mis yma, fe fydd angen yr arian arnoch chi yn y dyfodol.

Y CRANC

Dydych chi ddim wedi cael amser da yn ddiweddar. Ond gallwch ymlacio nawr oherwydd mae amser gwell o'ch blaen chi. Fe fyddwch yn cael gwahoddiad i ddigwyddiad pwysig. **Gofalwch eich bod** yn derbyn y gwahoddiad oherwydd byddwch yn cwrdd â rhywun diddorol iawn a all newid eich bywyd.

Y LLEW

Rydych chi wedi bod yn osgoi dweud eich meddwl yn blaen wrth rywun sy'n agos atoch chi. **Byddai'n well** i chi ddweud eich barn yn glir. **Byddwch** yn fwy gofalus nag arfer wrth deithio ar y ffordd y mis hwn. Os nad ydych wedi bod yn y garej ers tipyn, nawr yw'r amser i ofyn i ddyn y garej edrych ar eich car.

Y FORWYN

Daeth yn amser i chi wneud rhywbeth newydd a hollol wahanol. Rydych chi wedi bod yn gwneud yr un hen bethau ers amser nawr, ac mae'ch bywyd wedi mynd yn anniddorol ac undonog. Gwyliwch lai o deledu a pheidiwch ag eistedd yn y tŷ yn gwneud dim. **Felly** allan â chi i gwrdd â phobl newydd a diddorol.

Y GLORIAN

Os bydd rhywun yn dweud cyfrinach wrthoch chi yn ystod y mis yma - cofiwch gadw'r gyfrinach, neu fydd y person ddywedodd y gyfrinach wrthoch chi fyth yn maddau i chi. Mae gyda chi arfer gwael sy'n effeithio ar eich iechyd. **Nawr yw'r amser i** dorri'r arfer drwg yma a cheisio cymryd gwell gofal o'ch iechyd.

Y SGORPION

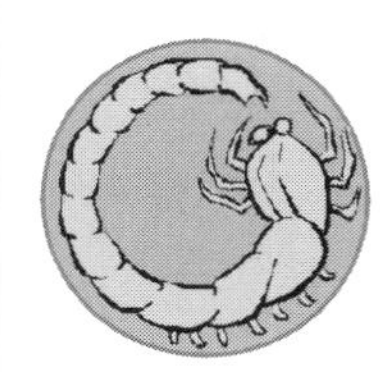

Byddai'n talu ffordd i chi wneud ymdrech arbennig yn y gwaith y mis yma. Rhaid i chi wneud argraff dda neu golli cyfle. **Dyma'r amser i** drefnu eich gwyliau am eleni. Rydych chi'n haeddu cael gwyliau, ac fe fydd trefnu nawr yn rhoi rhywbeth i chi edrych ymlaen ato.

Y SAETHYDD

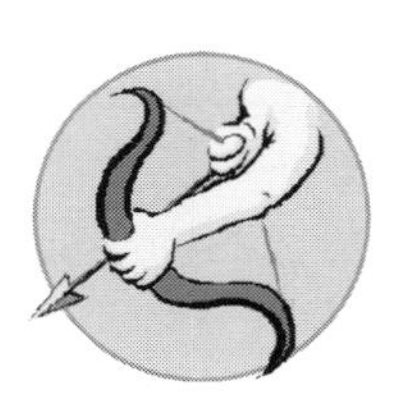

Mae rhywun wedi bod yn disgwyl i chi alw heibio. Yn wir, mae arnoch chi ddyled fawr i'r person yma - a nawr yw'r amser i dalu nôl am y caredigrwydd rydych chi wedi'i gael. **Gwnewch yn siŵr eich bod yn** mynd i weld y person yma. **Cofiwch** fynd ag anrheg bychan gyda chi.

YR AFR

Fe fyddwch chi'n teimlo'n isel eich ysbryd yn ystod y mis, ond cofiwch mai pobl hunanol sy'n meddwl am eu hunain drwy'r amser. Mae cannoedd o bobl yn y byd sy mewn gwaeth cyflwr na chi. **Ceisiwch fod** yn bositif ac edrych ar ochr olau pob problem.

SUT I SÊR-DDEWINO

- Defnyddiwch frawddegau byr.
- Defnyddiwch yr Amser Dyfodol.
  e.e. *Fe fydd...*
- Defnyddiwch y Gorchmynnol.
  e.e. *Gofalwch... Peidiwch â...*
- Defnyddiwch yr Amser Presennol hefyd.
  e.e. *Mae pethau'n wael nawr, ond...*
- Patrymau a geiriau defnyddiol:

Fe/Mi fydd...	Rydych chi'n...
Fe/Mi fyddwch...	Dyma'r amser i...
Efallai bydd...	Nawr yw'r amser i...
Fe/Mi fydd gofyn i chi...	Mae hwn yn amser...
Mae'n debyg y byddwch...	Gofalwch/Byddwch yn ofalus...
Os na wnewch chi... fe/mi fyddwch yn...	Peidiwch â gwrando ar...
Os ydych am... rhaid i chi...	Rhaid i chi...
Er eich bod wedi... fe/mi fydd...	Ceisiwch fod yn...

YMARFER

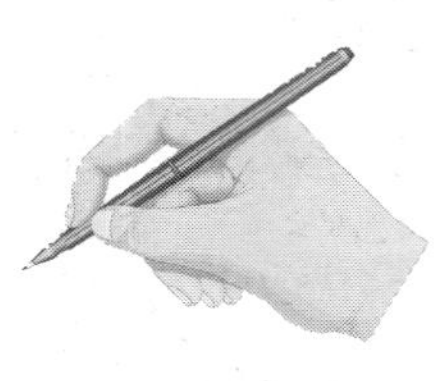

Gwnewch golofn sêr-ddewino ar gyfer eich papur ysgol/papur bro.

STRIBED CARTŴN

YMARFER

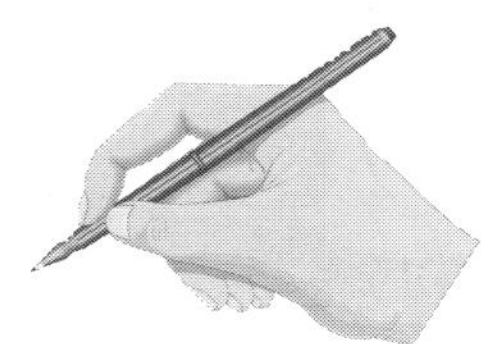

◆ Gorffennwch y Stribed Cartŵn.

◆ Gwnewch stori Stribed Cartŵn. Fedrwch chi ddyfeisio cymeriad eich hunan sy'n arwr neu'n arwres 'run fath â *Superman/Superwoman*?

SUT I WNEUD STRIBED CARTŴN

❑ Gwnewch lun o'r hyn y mae'r cymeriad yn ei wneud. Rhannwch eich tudalen yn unedau gwahanol gyda llun gwahanol ymhob uned.

❑ Gwnewch gylch awyr yn dod o geg y person sy'n siarad. Ysgrifennwch yr hyn mae e'n ei ddweud yn y cylch.

❑ Gallwch ddangos yr hyn mae'r cymeriad yn ei feddwl fel hyn, sef cylch mawr a chylchoedd llai yn arwain at dop ei ben.

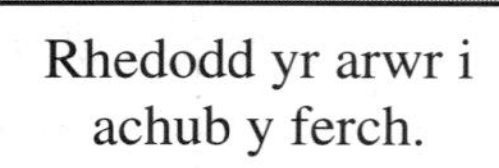

❑ Ysgrifennwch o dan neu uwchben y llun yr hyn sy'n digwydd yn y llun.

PORTREADAU BYR

PYNC

Mae ei wallt wedi'i liwio'n goch a gwyrdd ac yn sefyll i fyny fel blew cath wedi dychryn. Yn ei glustiau mae clust-dlysau llachar, ac yn ei drwyn mae cadwyn arian yn hongian sy'n clymu wrth ei siaced ledr ddu. Esgidiau mawr trwm fel esgidiau milwr sy am ei draed ac mae ei drowsus tynn fel ail groen amdano. Mae'n edrych yn gas ar bawb ac yn cnoi gwm cnoi yn araf a'i boeri allan ar y llawr. Wrth iddo gerdded lawr y stryd fel cowboi mewn ffilm mae pawb yn ei ofni.

CHWARAEWR RYGBI

Gallech arogli'r chwys o leia hanner milltir i ffwrdd! Rhedai'r chwys fel afon i lawr ei wyneb lleidiog. Anadlai'n drwm â'i geg ar agor fel ogof. Roedd ganddo gorff cadarn fel tarw mawr; breichiau cyhyrog fel breichiau gorila a dwylo anferth fel bwcedi Jac Codi Baw. Roedd ei wddf yn dew a'i ben yn fach gyda'r gwallt wedi'i dorri'n fyr fel blew ar gneuen goco. Rhedai ar hyd y cae fel hipo mawr yn carlamu gan wthio pawb i'r ochr a'u bwrw i'r llawr. Cawr cyhyrog, cryf.

DYN IFANC

Tywalltodd y bachgen hirfain ei gorff i mewn i sedd y bws gan orwedd yno'n llipa fel doli glwt. Roedd ganddo esgidiau mawr, piws gyda'r tafodau yn hongian allan fel tafod ci ar ddiwrnod poeth, ac roedd ei goesau'n gwthio allan dros ochr y sedd gan rwystro pawb rhag mynd heibio. Doedd ei wallt ddim yn symud, oherwydd roedd wedi'i ludio wrth ei ben gyda jel. Siglai ei ben 'nôl a mlaen i gadw amser i'r gerddoriaeth swnllyd oedd yn dod o'i *Walkman.* Roedd ei lygaid glas yn bŵl fel llygaid hen ŵr wedi diflasu ar fywyd. Pan gododd o'i sedd dadroliodd ei gorff tenau a symud yn llibyn i lawr o'r bws. Gadawodd rywbeth annymunol ar ei ôl fel trywydd seimllyd ar ôl malwoden - sef arogl drewllyd persawr eillio.

Y FERCH IFANC ESGYRNOG

Gwasgodd y ferch ei chorff tenau yn erbyn y wal - doedd hi ddim eisiau i neb sylwi arni. Pan fyddai'r merched yn sefyll mewn grŵp yn chwerthin a siarad roedd hi bob amser ar yr ymylon yn gwrando ac yn gwenu, ond fyth yn cymryd rhan neu'n chwerthin yn uchel - rhag ofn tynnu sylw ati hi ei hun. Roedd ei gwallt brown llipa yn hongian ar ei phen fel gwymon gwlyb ar graig. Gofalai edrych o'i chwmpas i sicrhau ei bod hi'n gwneud yr hyn roedd pawb arall yn ei wneud. Pan welai adlewyrchiad ohoni hi ei hun mewn ffenest siop edrychai i ffwrdd oherwydd fe gredai ei bod yn gweld merch dew, hyll. Doedd hi ddim wedi clywed y plant eraill yn sibrwd amdani - *rhy denau, anorecsig, bwyta fel iâr, coesau fel matsys* - oherwydd doedd ganddi ddim ffrind i ddweud wrthi.

BACHGEN YSGOL DRWG

Carlamai i lawr y coridor fel ceffyl gwyllt wedi'i adael allan o'r stabl. Roedd ei lygaid direidus yn llawn drygioni a'i wallt du yn chwifio fel baner yn y gwynt. Yn ei bocedi roedd ganddo bob math o bethau peryglus - bom inc, bom drewdod, catapwlt a chyllell boced i gerfio'i enw ar bob desg. Roedd coler ei grys ar agor a'i dei ysgol yn hongian yn anniben yn fwriadol. Roedd tyllau ym mhengliniau ei drowsus mwdlyd. Ar ei wefusau roedd inc ac roedd ei ddwylo'n frwnt. Doedd e byth yn siarad yn dawel - dim ond sgrechian a gweiddi.

DYN TEW

Eliffant afrosgo o ddyn yw hwn. Dydy e ddim yn gallu gweld ei esgidiau oherwydd maint ei fola mawr sy'n arllwys fel rhaeadr dros wregys ei drowsus, ac sy'n crynu fel jeli bob tro y bydd e'n symud. Mae e'n bwyta'n gyflym gan stwffio bwyd i'w geg anferth gyda'i fysedd siâp sosej. Wyneb crwn fel lleuad fawr sy ganddo ac mae ei goesau byrdew yn edrych fel boncyffion coed. Bresys sy'n dal ei drowsus melfaréd, llac i fyny. Wrth iddo gerdded bydd yn siglo o ochr i ochr fel hwyaden drafferthus gyda'i goesau chwyddedig yn rhwbio'n boenus yn erbyn ei gilydd. Bybl blonegog o ddyn.

DYN MEWN YSBYTY

Eisteddai'r dyn yn dawel yn y stafell wen, wag. Roedd ei lygaid glas yn edrych ar y wal, ond doedden nhw ddim yn gweld dim. Roedd ei lygaid yn wag. Roedd y meddwl tu ôl i'r llygaid wedi'i ddinistrio gan wallgofrwydd. Roedd ei wallgofrwydd wedi bwyta'i feddwl yn ddim. Roedd malwoden ddu ei ddychymyg wedi cnoi a chnoi nes fod dim ond ei gorff ar ôl. Gorweddai ei ddwylo'n llipa ar ei lin. Roedd ei gorff i gyd yn crynu'n ysgafn fel hen ddeilen wedi crino.

GWRAIG HUNANBWYSIG

Cerddodd i mewn i'r stafell gan edrych lawr ei thrwyn hir ar bawb. Gwisgai het fawr fel olwyn car ar ei phen a ffrog flodeuog, liwgar am ei chorff helaeth. Safai'n gefnsyth ac urddasol. Roedd colur wedi'i blastro ar ei hwyneb fel plastr ar wal, ac roedd ei llygaid masgaredig yn gwneud iddi edrych fel panda. Ar ei gwefusau roedd minlliw coch, llachar 'run lliw â blwch ffôn. Wrth bigo-bwyta ei chacen hufen siaradai'n uchel er mwyn i bawb gael ei chlywed. Roedd hi eisiau sylw a mwy o sylw - doedd dim digon o sylw i'w gael iddi a gwthiai ei ffordd i'r blaen ymhob ciw a chyfarfod.

DYN DIGARTREF

Gwisgai ddillad carpiog - cap seimllyd; menig difysedd; sgarff fudr; cot fawr garpiog a throwsus gydag un o'r pengliniau allan. Cortyn oedd yn dal ei drowsus i fyny. Roedd ei esgidiau'n dyllog gyda blaen un esgid wedi agor fel ceg crocodeil. Llygaid miniog fel dau lafn siswrn oedd ganddo ac roedd ei drwyn yn goch oherwydd yr oerfel ac oherwydd y botel a gariai yn ei boced. Edrychai ei wallt blêr fel nyth y frân a'i farf fel llwyn o ddrain. Crogai cudynnau o'i wallt allan fel cynffonnau llygod o dan y cap gwlân. Roedd gwên ar ei wyneb bob amser a byddai'n mwmian canu wrtho'i hun drwy'r dydd.

TRAFOD

Trafodwch ein tuedd i stereoteipio pobl a'n methiant i'w gweld nhw fel pobl 'run fath â ni.

"Mae stereoteip bob amser yn gelwydd," - trafodwch y gosodiad yma.

Ydy portread gydag elfen o gydymdeimlad neu dosturi yn well? Pam?

SUT I WNEUD PORTREADAU BYR

- ❑ Defnyddiwch chwech neu saith llinell ymhob portread.
  (Rhaid ysgrifennu yn y presennol neu'r gorffennol - peidiwch â chymysgu'r ddau amser.)

- ❑ Defnyddiwch ansoddeiriau, ond peidiwch â'u gorddefnyddio.

- ❑ Defnyddiwch ambell drosiad:
  ***Eliffant** afrosgo o ddyn.*

- ❑ Defnyddiwch ferfau trosiadol:
  ***Ffrwydrai** gwallt y pync i bob man.*

- ❑ Amrywiwch eich brawddegau - byr/hir/pwysleisiol.
  Peidiwch â defnyddio *Mae* a *Roedd* drwy'r amser.

- ❑ Defnyddiwch gyffelybiaethau:
  *Roedd ganddo gorff cadarn **fel tarw mawr.***
  Mae cyffelybiaeth yn gwneud disgrifiad yn fwy byw a chofiadwy.

- ❑ Defnyddiwch ambell gyflythreniad:
  ***ll**anc **ll**uniaiddd, **ll**wyd.*

YMARFERION

Gwnewch bortreadau byr o bump o'r canlynol:

Crwydryn	*Merch anorecsig*	*Athro/Athrawes*
Actores enwog	*Dyn pwysig*	*Hipi*
Bwli	*Glöwr*	*Gwraig tŷ*
Merch ffasiynol	*Pregethwr*	*Ffermwr*
Milwr	*Nyrs*	*Y Tywysog Siarl*

ENNILL CARIAD

gan Eirlys Lewis

"Pam?" gwaeddais â'm llygaid yn llawn dagrau. Edrychodd e arna i'n hurt wrth weld fy mod i wedi cynhyrfu gymaint.

"Does dim rheswm," atebodd gan osgoi edrych arna i.

"Dim rheswm!" sgrechais. "Wyt ti'n golygu dweud wrtha i dy fod ti am fy ngadael i heb reswm!"

"Ond..."

"Paid â dweud dim. Dwy i ddim eisiau dy weld ti byth eto!" gwaeddais gan wthio fy ffordd drwy'r dyrfa at ddrws y neuadd.

Roeddwn i'n falch cael bod allan yn yr awyr iach unwaith eto. Rhedais at ddrws cefn y neuadd gan eistedd ar y concrid oer. Cuddiais fy wyneb yn fy nwylo a chrio nes bod fy mreichiau yn domen wlyb. Teimlais yn oer ac yn llipa fel doli glwt yn eistedd yn y glaw. Roedd fy mola'n teimlo'n hollol wag fel pe bawn i heb fwyta ers wythnosau. Edrychais ar fy oriawr. Roedd hi'n hanner awr wedi naw. Roedd dwy awr a hanner arall i aros nes bod Mam yn dod.

Agorodd rhywun ddrws y neuadd a daeth sŵn byddarol y gerddoriaeth i'm clustiau. Troais fy mhen i weld Neil yn sefyll wrth fy ochr - bachgen cryf, cyhyrog a'i gorff lluniaiddd yn denu'r merched i gyd. Roedd ei wallt cyrliog yn chwifio yn y gwynt.

"Helo," meddai'n dawel.

Ceisiais ei ateb, ond roedd y lwmp yn fy ngwddf yn fy atal rhag dweud gair. Gwenais gan edrych arno drwy fy nagrau. Eisteddodd yn fy ymyl a theimlais gynhesrwydd ei gorff. Teimlais ryw wres cynnes, hapus tu mewn i mi. Beth oedd yn digwydd? Doeddwn i ddim wedi teimlo fel hyn o'r blaen wrth i fachgen eistedd yn fy ymyl. Cododd ei law a sychu deigryn ar fy moch.

Closiodd ata i a dweud mewn llais dwfn, hyfryd, "Peth rhyfedd yw bywyd - un funud mae popeth mor berffaith, ac yna mae rhywbeth yn dod fel bwyell gan dorri pawb a phopeth yn deilchion. Heno roedd y fwyell yn pwyntio atat ti, ac fe ddaeth hi lawr yn go drwm hefyd."

Edrychais arno'n syn.

Roedd ei eiriau'n swnio fel clychau swynol yn canu yn fy nghlustiau. Safodd ar ei draed gan gydio yn fy llaw. Arweiniodd fi at ddrws y neuadd a chydiais yn dynn yn ei law wrth iddo agor y drws. Gwelais y golau'n fflachio'n ddi-baid ar hyd y nenfwd a'r llawr. Gwelais fy hen gariad gyda rhyw ferch felynwallt, denau yn cusanu'n frwd, ond doeddwn i ddim yn hidio am fod gennyf gariad newydd, llawer gwell.

Darllen

Chwiliwch am straeon a nofelau serch yn y llyfrgell.
Chwiliwch am ddisgrifiadau da o bobl, disgrifiadau sy'n creu awyrgylch, a darnau da o ddeialog.
Darllenwch nhw'n uchel i'ch grŵp a thrafod pam maen nhw'n dda.

AROS

gan Sharon Davies

Safai Rhys ar blatfform yr orsaf oer. Roedd ei ddwylo wedi rhewi'n boenus yn y gwynt gaeafol. Teimlai ei fod wedi bod yn sefyll yno ers canrifoedd.

* * *

Cofiai'r dydd yn iawn. Roedd yn bedair ar bymtheg oed ac yn siarad â'i ffrind gorau dros baned arall o goffi oer, diflas. Newydd ddod adre o'r coleg oedd Huw a dywedodd ei fod yn gweld merch arall ac wedi blino ar Lisa. Teimlodd Rhys biti mawr dros Lisa a dywedodd, "Fe fydd hi'n torri'i chalon."

Syllodd Huw i lawr i'w goffi llwydfrown.

"Wel, mae'r byd yn newid... pobol yn newid... perthyn i'r gorffennol mae Lisa."

Cododd Huw ei lwy a rhoddodd y pumed llwyaid o siwgr yn ei goffi heb feddwl.

"Wyt ti wedi dweud wrth Lisa?" gofynnodd Rhys.

Siglodd Huw ei ben. "Wel, na ddim eto. Mae'n beth anodd i'w wneud. Roeddwn i'n meddwl efallai y byddet ti'n fodlon dweud wrthi 'mod i wedi cwrdd â rhywun arall."

"Fi! Na, ddim byth! Chwilia am gi bach arall i wneud dy waith brwnt di."

"Rwy'n gwybod dy fod ti'n hoffi Lisa, Rhys. Efallai os byddet ti'n gofyn iddi fynd allan gyda thi rywbryd byddai'n help iddi ddod dros y peth."

Astudiodd Rhys wyneb ei ffrind a meddwl - oedd Huw yn sylweddoli mor greulon oedd ei eiriau? Roedd Rhys wedi bod dros ei ben a'i glustiau mewn cariad â Lisa o'r foment y gwelodd hi, ond roedd hi'n amlwg yn hoffi Huw, felly cuddiodd ei deimladau. A nawr, dyma Huw yn ceisio gwthio Lisa arno fel rhyw ddilledyn ail-law.

"Wel?" gofynnodd Huw.

"Fe wna i 'ngorau," atebodd Rhys, "ond rhaid i ti dorri'n rhydd oddi wrthi."

* * *

Wrth i'r wythnosau fynd heibio fe welodd Rhys a Lisa dipyn ar ei gilydd. Un noson fe ddywedodd Lisa wrth Rhys, "Roeddwn i'n ffŵl. Rwy'n falch mai dim ond ffrindiau wyt ti a fi, Rhys. Mae bywyd yn llawer mwy rhwydd heb gariad."

Ddywedodd Rhys ddim byd.

"Rwy wedi penderfynu mynd i Gaerdydd i weithio fel nyrs," meddai Lisa.

"Caerdydd!" meddai Rhys,"a faint mae'r ffaith fod Huw yno wedi effeithio ar dy ddewis di?"

Edrychodd Lisa i ffwrdd ond tynnodd Rhys hi'n ôl a gwelodd y dagrau disglair yn ei llygaid.

"Mae e wedi gorffen gyda ti, Lisa. Mae rhywun arall gydag e. Rhaid i ti ei anghofio fe."

* * *

Daeth Rhys a Lisa yn agos iawn at ei gilydd yn y cyfnod cyn i Lisa fynd i ffwrdd. Fe gawson nhw lawer o hwyl gyda'i gilydd - ond heb fod yn fwy na ffrindiau o hyd. Aeth Lisa i ffwrdd yn fagiau o'i phen i'w thraed. Addawodd i Rhys y byddai'n ysgrifennu'n gyson ac aeth hi i ffwrdd fel ysbryd i'r nos.

* * *

Wrth sefyll ar yr orsaf yn yr oerfel cofiodd Rhys am y llythyr gwyllt roedd e wedi bod mor ffôl â'i ddanfon at Lisa ar ôl iddi ddweud ar y ffôn ei bod am fynd i wlad dramor i nyrsio. Gwyddai Rhys y byddai'n rhaid iddo ddweud y gwir wrthi am ei deimladau neu fe fyddai'n ei cholli am byth. Dywedodd y cyfan am ei gariad tuag ati yn y llythyr a rhedeg i'w bostio cyn iddo newid ei feddwl.

Ar ddiwedd y llythyr roedd wedi dweud, "Os medri di rywbryd, Lisa, deimlo'r un peth â mi - yna mae'n rhaid i ni gwrdd." Felly fe enwodd y diwrnod hwn ym mis Tachwedd. Wrth ddisgwyl y trên roedd ei feddwl yn corddi. Beth os na fyddai hi'n cael amser i ddod? Beth os nad oedd hi'n meddwl dim ohono? Beth os oedd e wedi gwneud ffŵl ohono fe'i hun wrth sefyll fan hyn yn yr oerfel yn disgwyl am rywun oedd ddim yn mynd i ddod?

Daeth y trên i mewn i'r orsaf gan lithro'n araf ar y cledrau fel neidr a hisian stêm wrth frecio. Roedd Rhys erbyn hyn yn ddig wrtho fe'i hunan am ddanfon y llythyr ac am ddod i'r orsaf i wneud ffŵl ohono fe'i hun. Teimlai ei galon yn ei wddf. Fedrai e ddim anadlu'n iawn.

Edrychodd ar y bobl yn disgyn o'r trên un ar ôl y llall. Dyna'r un diwetha'n disgyn nawr. Doedd hi ddim yno. Teimlai'r chwys oer yn rhedeg i lawr ei gefn. Doedd e ddim yn clywed sŵn y bobl o'i gwmpas - yr unig sŵn a glywai oedd curiad cryf ei galon fel drwm yn cyflymu bob eiliad. Suddodd ei galon. Roedd e wedi bod yn annoeth. Doedd Lisa erioed wedi'i garu e a chamgymeriad mawr oedd danfon y llythyr.

Trodd i ffwrdd a dechreuodd gerdded ling-di-long i fyny'r platfform. Roedd yr orsaf yn wag ac yn oer fel ei galon yntau. Yn sydyn, agorodd un o ddrysau'r trên yn ei wyneb. Safodd yn syn. Doedd e ddim yn credu'i lygaid.

"Helo Rhys! Fues i bron â cholli'r orsaf - fe gwympodd popeth allan o'r bag wrth i mi ei dynnu o'r silff am 'mod i mor nerfus!"

Roedd bag trwm gan Lisa.

"Wnei di gario hwn i fi?"

Edrychodd Rhys arni fel pe bai'n ei gweld am y tro cyntaf. Syrthiai ei gwallt du, sgleiniog ar ei hysgwyddau. Edrychodd ar ddisgleirdeb ei llygaid glas a'i bochau coch. Roedd arno eisiau ei chusanu. Yna, cododd y bag a dechreuodd y ddau gerdded gyda'i gilydd at y fynedfa.

"Diolch i ti am dy lythyr. Oeddet ti'n meddwl beth ddywedaist ti yn dy lythyr?"

"Bob gair."

Gwenodd Lisa arno.

"Rwy'n falch dy fod ti wedi ysgrifennu. Roeddwn i'n ofni oherwydd bod y trên yn hwyr y byddet ti wedi mynd ac na fyddwn i'n cael cyfle i dy weld ti."

Gafaelodd Lisa'n dyner yn llaw Rhys a'i gwasgu'n dynn, "Dwy ddim yn credu 'mod i am fynd dramor i nyrsio - mae gen i bethau eraill gwell i'w gwneud."

"Fuest ti'n aros yn hir?"

"Na, ddim yn hir iawn," dywedodd Rhys, "ddim yn hir iawn!"

TRAFOD

Trafodwch y ddwy stori. P'un yw'r stori orau a pham?
Dylech ystyried y canlynol: arddull (disgrifiadau o bobl, gweithredoedd a chefndir), adeiladu tensiwn a chreu diddordeb, cymeriadau, cynllun ac adeiladwaith.

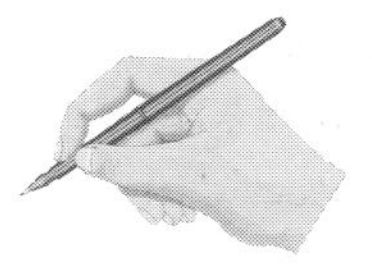

YMARFERION AR GYFER STORI SERCH

Mae disgrifio golwg cymeriad yn bwysig mewn stori serch:

Merch dal, osgeiddig oedd Mair. Roedd ei hwyneb yn drawiadol - llygaid mawr, glas; croen glân, gwyn a gwefusau coch, llawn. Llifai ei gwallt hirfelyn dros ei hysgwyddau fel afon aur. Roedd ei chorff hefyd yn berffaith - corff siapus, gyda'i choesau hir islaw ei sgert gwta yn tynnu sylw pob bachgen wrth iddi gerdded heibio.

Cawr cyhyrog, cryf oedd Dafydd. Edrychai fel athletwr gyda'i freichiau brown yn dangos ei nerth. Gwallt du fel y nos oedd ganddo a hwnnw'n hir ac yn fodrwyog. Gwisgai grys gyda'r coler ar agor a jîns glas, treuliedig am ei goesau. Ond roedd ganddo wyneb hardd gyda gwên bob amser i bawb.

◆ Gwnewch ddisgrifiad tebyg o gymeriad mewn stori serch gan ddefnyddio ansoddeiriau ac ambell gyffelybiaeth.

Mae disgrifio gweithredoedd cymeriad yn bwysig:

Daeth Gwyn ac eistedd yn ymyl Siân. Gwenodd arni a rhoi'i law am ei hysgwydd. Rhoddodd hithau'i phen ar ei ysgwydd ef. Cododd Siân ei phen ac edrych i'w wyneb. Doedd dim eisiau i'r un o'r ddau ddweud gair. Pwysodd Gwyn ei ben mlaen yn araf a'i chusanu'n ysgafn ar ei gwefusau. Llithrodd Siân ei breichiau o gwmpas ei war. Cusanodd Gwyn hi eto - yn angerddol.

◆ Gwnewch ddisgrifiad o weithredoedd cymeriadau mewn stori serch.

Mae'r ddeialog mewn stori serch yn rhamantus:

"Rwy wedi edrych mlaen at heno'n fawr iawn," meddai Gareth gan wenu ar Mair.
Edrychodd e i ddwfn ei llygaid a dweud, "Mae pob munud heb dy gwmni di fel awr. Rwy'n meddwl amdanat ti ddydd a nos."
"Mae'n anodd gen i gredu hynny!"
"Wel, mae'n wir, dydw i erioed wedi cyfarfod â merch fel ti o'r blaen."
"Mae digon o ferched hardd yn y dre 'ma," meddai Mair gan wenu eto.
"Oes. Ond does neb wedi gwneud i mi deimlo fel hyn o'r blaen."

◆ Gwnewch ddeialog ramantus rhwng dau gariad.

Mae mynd mewn i feddwl cymeriad yn bwysig:

Edrychodd Ifan allan drwy'r ffenest a gweld Elin yn dod. Teimlodd don o hapusrwydd yn llifo drosto wrth weld Elin yn cerdded ar hyd y ffordd yn ei ffrog wen. O! roedd yn ei charu'n fwy na neb yn y byd. Ond yn sydyn, stopiodd car coch, sgleiniog wrth ymyl Elin ac agorodd rhywun ffenest y car i siarad â hi. Dafydd, hen gariad Elin, oedd yno. Roedd hi'n amlwg yn falch o'i weld ac wrth weld y ddau'n siarad a gwenu ar ei gilydd teimlodd Ifan yn chwerw ac yn eiddigeddus. Daeth chwys oer drosto ac roedd ei stumog yn corddi. Pan welodd Elin yn pwyso mlaen ac yn gafael ym mraich Dafydd aeth popeth yn ormod iddo. Teimlodd ei fod yn casáu'r ddau ohonyn nhw â'i holl galon.

Mae creu cefndir rhamantus yn bwysig mewn stori serch:

Roedd yr haul yn machlud yn belen goch ar y gorwel, ac roedd y coed pîn yn taflu cysgodion hir ar draws y llwybr cul lle cerddai Tomos a Mair. Bob ochr i'r llwybr roedd clychau'r gog yn garped glas dan y coed. Rhwng y glas yn ffrog ei gariad a glas yr awyr roedd Tomos yn teimlo'i fod mewn gwlad hud. Daeth y ddau at gamfa bren ar draws y llwybr, ac wrth helpu Mair dros y gamfa syllodd Tomos yn edmygus i lygaid glas ei gariad.

◆ Gwnewch ddisgrifiad byr o olygfa a fyddai'n gefndir rhamantus ac addas i stori serch.

YSGRIFENNU STORI SERCH

- Gwnewch y cymeriadau'n fyw ac yn real. Disgrifiwch y cymeriad yn fanwl. Mae manylion yn bwysig. Defnyddiwch ansoddeiriau ac ambell gyffelybiaeth:

  Merch wahanol oedd Esyllt - doedd dim wyneb arbennig o dlws ganddi ond roedd ei llygaid glas, dwfn yn disgleirio ac yn denu'r bechgyn fel gwenyn at y mêl.

- Defnyddiwch ddeialog yn eich stori:

  "Wyddwn i ddim fod merch mor bert â thi yn y byd."

- Cofiwch roi disgrifiad byr ar ôl y ddeialog:

  "Wyddwn i ddim fod merch mor bert â thi yn y byd," meddai'r dyn gan blygu mlaen a rhoi'i fraich yn gariadus am ei hysgwyddau.

- Rhaid creu cefndir rhamantus er mwyn creu naws yn y stori:

  Disgleiriai lleuad wen drwy frigau'r coed y tu allan, ac roedd arogl blodau'r ardd yn treiddio i'r stafell fwyta. Roedd seiniau melys y delyn i'w clywed yn y cefndir a'r canhwyllau yn pwysleisio gwynder y lliain a chochni'r rhosynnau ar y bwrdd.

- Ceisiwch fynd mewn i feddwl y cymeriad a dweud sut mae'r cymeriad yn teimlo:

  Teimlodd Ifan don o hapusrwydd yn llifo drosto wrth weld Elin yn cerdded tuag ato yn ei ffrog wen. Roedd arno eisiau dweud wrthi ei fod yn ei charu.

- Rhaid disgrifio gweithredoedd cymeriadau:

  Cododd ei law gan sychu deigryn o'i boch. Closiodd ati a daeth sŵn dwfn hyfryd ei lais i'w chlustiau.

- Rhaid cael diweddglo hapus mewn stori serch bob amser:

  Gwelais fy hen gariad gyda rhyw ferch felynwallt, denau yn cusanu'n frwd, ond doeddwn i ddim yn hidio am fod gennyf gariad newydd, llawer gwell.

GWRTHDARO MEWN STORI

YR YMOSODIAD

gan Bethan Griffith

Eisteddai'r ddau ddyn o gwmpas y bwrdd yn y Clwb amheus mewn stryd gefn. Gwisgai Gordon, y tewa ohonyn nhw got law werdd a het ffelt frown am ei ben. Drwy ei lygaid bach, cul a edrychai fel llygaid mochyn, gwyliai'r bobl yn y Clwb er mwyn bod yn siŵr nad oedd neb yn gwrando ar y sgwrs. Roedd craith goch ar hyd ei foch fel ffos ddofn. Roedd ganddo wefusau main, di-waed a hongiai sigarét o gornel ei geg.

Roedd Albert ei gyfaill bolgrwn yn gwisgo siwt frown, hen ffasiwn. Roedd yntau hefyd yn sbïo o'i gwmpas drwy gil ei lygaid. Roedd ganddo drwyn hir, bachog fel cryman a phen moel a adlewyrchai olau'r stafell. Plygodd y ddau eu pennau'n dynn at ei gilydd a siarad yn isel.

"Wyt ti wedi sylwi ar y peth yna draw yn y gornel?" holodd Albert.

"Na, ble?" meddai Gordon.

" Draw fan acw. Wyt ti'n ei weld e?"

"Ydw, rwy'n 'i weld e nawr. Wyt ti am ddelio gydag e heno neu rywbryd eto?"

"Wel, mae'n ddyletswydd arnon ni i gadw sbwriel fel 'na oddi ar ein strydoedd. Ond cofia, rwy'n cwrdd ag Eira a'i chariad newydd yn nes mlaen heno, felly nawr yw'r amser i ddelio ag e."

"Iawn, fe â i i holi Jonathan, y tafarnwr, os yw'r dillad gydag e."

Aeth Gordon at y bar.

"Beth yw'r broblem?" holodd Jonathan. Roedd y tafarnwr yn ddyn bach, tenau ond chwyddai ei frest allan fel robin goch er mwyn ceisio edrych yn fwy nag yr oedd.

"Un gair bach. Wyt ti wedi sylwi ar y dyn 'cw yn y gornel ar 'i ben 'i hun?"

"Pwy allai beidio sylwi arno. Roeddwn i'n gobeithio byddet ti ac Albert yn delio gyda'r mater. Mae'r dillad yn y cefn os ydych chi am newid a chei di ddim trafferth gyda'r heddlu - ry'n ni a nhw'n deall ein gilydd i'r dim."

Aeth Gordon ac Albert i gefn y Clwb i newid eu dillad. Fe wisgon nhw'r dillad llaes, gwyn. Doedd dim posib eu hadnabod nhw nawr gyda'r cwflau hir dros eu pennau. Yna, gyda'u goleuadau fflach a'u pastynau fe aethon nhw i aros am y dyn y tu allan i'r Clwb.

* * *

Eisteddai Winston Johnston yng nghornel y Clwb yn disgwyl ei gariad newydd. Syllodd i waelod ei wydr yn ddiflas. Roedd hi chwarter awr yn hwyr, ond penderfynodd aros chwarter awr arall er ei fod yn teimlo'n annifyr gan mai ef oedd yr unig ddyn du yn y lle ac roedd wedi sylwi ar un neu ddau ddyn gwyn yn edrych yn gas arno. Edrychodd yn obeithiol tua'r drws wrth ddisgwyl ei gariad. Roedd y munudau'n mynd heibio'n araf, ac fe benderfynodd beidio aros rhagor.

Cerddodd i fyny'r grisiau ac allan o'r Clwb, heibio'r biniau sbwriel lle tyrrai'r llygod mawr. Daeth at ei gar. Yn sydyn, fe deimlodd law yn gafael am ei wddf, a dwylo eraill yn dal ei freichiau'n dynn.

"Aros funud, y diawl du!" meddai llais creulon, "a phaid mentro symud neu fe gei di fwled yn dy ben."

Teimlodd Winston haearn oer baril gwn yn erbyn ochr ei ben a pharlyswyd ef gan ofn.

"Neges fach oddi wrth y Ku Klux Klan, ry'n ni'n ceisio cadw'r ardal fach 'ma'n lân ac felly r'yn ni am i ti beidio dod yn agos i'r lle 'ma fyth eto."

Ceisiodd Winston ddianc o afael y dynion, ond fe garcharwyd ei freichiau gan ddau ddyn mewn dillad gwyn. "Dangos i'r gŵr bonheddig 'ma sut groeso sy i ddyn du yn yr ardal hon."

Ymosododd Gordon yn filain ar y dyn du gyda phastwn mawr tra daliai Albert a'r lleill ei freichiau.

Fedrai Winston ddim gweld wyneb y dyn oedd yn ei daro, ond medrai weld y llaw oedd yn dal y pastwn ac roedd modrwy fawr ar fys canol y llaw. Un ar ôl y llall trawodd yr ergydion gorff Winston gan dorri'i esgyrn ac yna trawyd ef yn ei ben nes fod ei wyneb yn waed i gyd. Syrthiodd i'r llawr yn anymwybodol.

Deffrodd i sŵn clecian sodlau uchel a chlywodd lais ei gariad.

"O Gordon, Winston fy nghariad i yw e, edrych ar ei olwg e! Mae rhywun wedi ymosod arno fe. Helpa fi i'w godi e ar ei draed."

"Nawr, paid gofidio, rwy'n siŵr fydd e'n iawn. Piti fod raid i mi gwrdd â dy gariad newydd fel hyn," meddai Gordon gan gydio ym mreichiau Winston i'w godi. Yn sydyn, fe wyddai Winston, er ei holl boen, ei fod wedi clywed y llais yna o'r blaen, a syllodd yn syn ar y fodrwy fawr ar fys brawd ei gariad wrth i hwnnw estyn ei ddwylo tuag ato.

TRAFOD

Sut mae'r awdures yma'n creu naws? Sut mae'n creu darlun annymunol o'r ddau ddyn? Sut mae'r ddeialog yn dangos rhagfarn a chasineb y ddau ddyn? Ydy'r disgrifiad o'r ymosodiad yn effeithiol? Sut gallech chi wella arno? Beth yw pwrpas y disgrifiad o'r biniau y tu allan i'r Clwb? Ydy'r diweddglo'n effeithiol?

DARLLEN

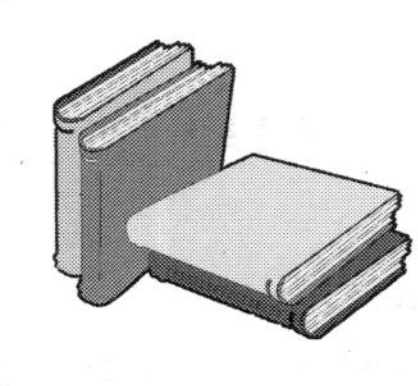

Darllenwch y rhan yn *Cysgod y Cryman* gan Islwyn Ffowc Elis lle mae Wil James a'i ffrindiau'n cynllwynio i ymosod ar Karl a hanes yr ymosodiad ei hun. Gwnewch nodyn o eiriau ac ymadroddion a fydd yn ddefnyddiol i chi pan fyddwch chi'n mynd ati i ddisgrifio ymosodiad.

YMARFER

Ysgrifennwch stori *Yr Ymosodiad* gan ddilyn y patrwm yma:

- Defnyddiwch eiriau ac ymadroddion o nofel Islwyn Ffowc Elis yn eich stori.
- Gwnewch baragraff yn creu naws drwy ddarlunio cefndir. Dylai'r paragraff osod cefndir y fan y mae'r ymosodiad yn cael ei drefnu.
- Yn yr ail baragraff rhowch ddisgrifiad manwl o wynebau, gwisg ac ymddygiad cymeriadau.
- Gwnewch ddeialog rhwng y cymeriadau. Dylai'r ddeialog ddangos casineb y bobl yma at y person y maen nhw'n mynd i ymosod arno, ac awgrymu'r rheswm dros eu casineb.
- Gwnewch ddisgrifiad o'r un diniwed sy'n mynd i ddioddef. Dyma gyfle i greu gwrthgyferbyniad rhyngddo a'r bobl ddrwg ac i greu cydymdeimlad ym meddwl y darllenydd.
- Gwnewch fwy nag un paragraff yn adeiladu tyndra ac yn disgrifio digwyddiadau. Dylai'r paragraff arwain at yr ymosodiad.
- Gwnewch ddisgrifiad cyffrous a manwl o'r ymosodiad.
- Diweddglo - dramatig? sioclyd? annisgwyl? trist?

YCAR NEWYDD

gan Louise Last

Ei gar newydd oedd popeth i Gilbert. O! roedd e'n meddwl y byd ohono. Doedd e ddim yn fodlon ei roi e yn y garej. O na! Roedd yn well ganddo adael y car newydd y tu allan ar y llwybr, fel y byddai pawb a oedd yn mynd heibio yn gallu edrych ar y car newydd a'i edmygu. Roedd e'n siŵr fod pawb yn syllu ar ei gar pan nad oedd e'n gwylio, a doedd hynny ddim yn aml iawn! Pan na fyddai y tu allan yn glanhau'r car byddai y tu fewn yn gwylio'r car drwy'r ffenest. Cyn iddo fynd i'r gwely bob nos roedd Gilbert yn mynd allan i wneud yn siŵr bod dim llwch na baw wedi cyffwrdd y paent.

Dechreuodd Ethel ei wraig gasáu'r car. Doedd hi ddim hyd yn oed yn cael ei gyffwrdd. Doedd dim ots pa mor fawr oedd y llanast y byddai Gilbert yn ei wneud yn y tŷ, doedd dim un smotyn yn cael mynd ar baent gwerthfawr ei gar. Gwastraff amser oedd ceisio rhesymu efo Gilbert. Roedd hi'n amlwg fod y car yn fwy pwysig na hi! Dechreuodd Ethel gasáu Gilbert, ac roedd e'n ei chasáu hithau. Roedd hi'n cwyno'i fod yn gwastraffu'i amser yn y ffenest yn syllu'n edmygus ar y car, ac yn cwyno bod yn well ganddo'r car na'i wraig.

Mi ddaeth y gaeaf. Penderfynodd Gilbert mai rhoi'r car yn y garej fyddai'r peth gorau i'w wneud. Mi gafodd y garej ei glanhau o'r top i'r gwaelod. Yna, cafodd y car gwerthfawr ei roi yn y garej. Credai Gilbert fod y llwybr yn edrych yn llwm ac yn wag heb y car, ac roedd yn siŵr fod pawb yn synnu ac yn meddwl ble'r oedd y car.

Edrychodd ar ei ardd. Cofiodd am yr amser yr aeth Ethel allan a phrynu "dynion bach" i'r ardd - rhai gwyrdd a choch, dynion bach oedd yn pysgota ac yn garddio. O! roedd e'n casáu'r hen ddynion bach hyll yn yr ardd. Wedyn gwenodd wrtho'i hunan wrth gofio'r dydd y gyrrodd ei gar newydd yn fwriadol dros ochr y llwybr a mynd drostyn nhw a'u malu'n rhacs. Dyna deimlad braf! Roedd e wedi teimlo'r plastig gwyrdd a choch yn torri'n ddarnau dan yr olwynion. Doedd Ethel ddim wedi siarad ag e am wythnos ar ôl hynny.

Un dydd eisteddai Gilbert yn y tŷ yn gwylio'r teledu pan glywodd rhyw sŵn y tu allan. Beth ddiawl oedd y sŵn yna? Neidiodd o'i gadair esmwyth a rhuthrodd i'r ffenest. Daeth Ethel i mewn i'r tŷ gyda gwên fawr ar ei hwyneb.

"Wyt ti'n hoffi fy nghar newydd i? Doeddet ti ddim yn gadael i mi ddefnyddio dy gar di, felly mi brynais i un fy hunan. Wyt ti'n hoffi ei liw?"

Hoffi ei liw! Pwy yn y byd allai hoffi'r lliw ofnadwy yna! Roedd e'n oren efo streipiau piws arno! Ddywedodd e 'run gair wrth ei wraig dim ond edrych yn gas ar y car.

"Fe ddewisais i'r lliw 'na er mwyn i fi gael gafael arno'n rhwydd yn y maes parcio!"

Ych-a-fi! meddyliodd Gilbert, roedd y lliw yn ddigon i godi cyfog ar ddyn. Teimlodd boen yn ei stumog.

"Rhywbeth yn bod cariad?" gofynnodd Ethel.

"Dim!" atebodd Gilbert yn sur.

Aeth i eistedd. Yna bu bron iddo farw pan gofiodd nad oedd lle yn y garej i ddau gar. Byddai'n rhaid i'r car hyll yna aros y tu allan ar y llwybr. Beth fyddai pobl yn ei feddwl?

Aeth pethau o ddrwg i waeth. Doedd Ethel ddim yn trafferthu gwneud cinio blasus ragor. Roedd llwch yn casglu yn y tŷ. Dim ond syllu ar ei char drwy'r ffenest fyddai Ethel yn ei wneud. Roedd hi'n mynd allan cyn mynd i'r gwely er mwyn gwneud yn siŵr bod dim llwch na baw ar ei char oren efo streipiau piws. Doedd dim pwynt rhesymu efo Ethel. Roedd hi'n amlwg fod y car yn fwy pwysig nag e.

Dechreuodd Gilbert feddwl am ffordd o gael gwared ar gar Ethel. Ond sut roedd gwneud hynny? Meddyliodd yn galed am amser hir. Yna cafodd syniad. Roedd e'n syniad gwych! Teimlodd mor hapus nes iddo ddechrau ymddwyn yn gyfeillgar ac yn gwrtais tuag at Ethel. Roedd hithau'n methu deall y peth ac yn teimlo'n ddrwgdybus. Mi gynllwyniodd Gilbert bopeth.

Un diwrnod braf o wanwyn pan oedd yr adar bach yn canu a'r haul yn gwenu, awgrymodd Gilbert y byddai'n beth da i Ethel fynd â'r "Ddraig" (ei mam hi) yn ei char newydd. Cytunodd Ethel. Teimlai Gilbert mor hapus nes iddo fynd allan a glanhau'i gar am y trydydd tro y diwrnod hwnnw.

Wrth ddod at y tŷ yn ei char gwelodd Ethel fod car Gilbert y tu allan i'r tŷ. Sylwodd fod pwll mawr o ddŵr ar y llwybr yn ymyl ei gar. Dyna syniad da fyddai gyrru drwyddo a thasgu dŵr brwnt ar gar glân Gilbert. Perffaith! Gyrrodd ei char tuag at y pwll, yna aeth trwyddo gan godi ton o ddŵr brwnt dros ei gar. Gwenodd Ethel yn sbeitlyd. Gwaeddodd Gilbert arni. Rhedodd o flaen car Ethel gan weiddi a rhegi arni. Breciodd hithau. Diflannodd y wên oddi ar wyneb Ethel. Doedd y brêc ddim yn gweithio! Syllodd Gilbert ar y car yn dod tuag ato fel petai mewn llewyg. Doedd e ddim yn gallu symud. Roedd wedi'i barlysu. Cododd Ethel ei dwylo dros ei hwyneb a sgrechian. Clywodd rywbeth caled yn bwrw yn erbyn y car... sgrech arall... ac yna tawelwch...

TRAFOD

Trafodwch y gwrthdaro sy'n cael ei ddangos yng ngweithredoedd y cymeriadau ac yn nheimladau'r cymeriadau.

SUT I YSGRIFENNU GWRTHDARO MEWN STORI

Mae tair ffordd o ddangos gwrthdaro:

- Drwy gyfrwng deialog.

  "Aros funud, y diawl du!" meddai llais creulon, "a phaid mentro symud neu fe gei di fwled yn dy ben."

- Drwy gyfrwng gweithredoedd.

  O! roedd e'n casáu'r hen ddynion bach hyll yn yr ardd... gyrrodd ei gar newydd yn fwriadol dros ochr y llwybr a mynd drostyn nhw a'u malu'n rhacs.

- Drwy fynd mewn i feddwl y cymeriad a dangos ei feddyliau.

  Roedd hi'n amlwg fod y car yn fwy pwysig nag e. Dechreuodd Gilbert feddwl am ffordd o gael gwared ar gar Ethel.

YMARFER

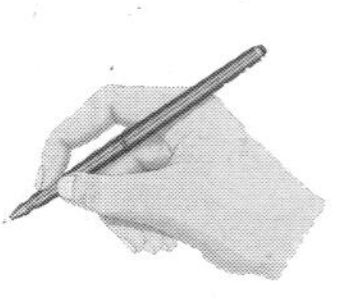

Ysgrifennwch ddisgrifiad o wrthdaro rhwng pobl:

- *Athro a phlentyn yn gwrthdaro.*
- *Cwsmer a gweinydd mewn Tŷ Bwyta yn dadlau am y bwyd.*
- *Dau gymydog yn gwrthdaro ynglŷn â gwneud gormod o sŵn yn y nos.*
- *Warden Traffig yn gwrthdaro gyda dyn sy wedi parcio yn y lle anghywir.*

STORI WYDDONIAS

DIAMWNTAU

gan Mathew Roberts

"Gadewch i'r famlong gylchdroi tra bydd Macs a finnau yn mynd lawr yn yr Anturiwr," meddai Capten Rogers. Roedd y Capten yn hen gyfarwydd â dweud y geiriau hyn wrth griw ei long-ofod oherwydd crwydro'r gofod oedd ei waith.

"O'r gorau Capten!" atebodd Rheolwr y Panel Rheoli. Cerddodd Macs a'r Capten tuag at y porthladd-gofod yn eu siwtiau undarn. Oherwydd maint y siwtiau mawr ac oherwydd pwysau trwm y tanciau ocsigen ar eu cefnau roedd y ddau'n cerdded yn araf. Roedd y ddau yn cario gynnau-laser rhag ofn bod perygl ar y blaned.

"Cofia am y bocs coch," meddai'r Capten, "rhaid i ni gael rhywbeth i gadw'r diamwntau ynddo."

Roedden nhw yng ngalaeth Mochoch - yr alaeth bellaf i ddyn anturio iddi.

Roedd Cyfrifiadur Otomatig y Gofod (COG) yn dangos bod pump y cant o dir y blaned yn ddiamwntau. Bwriad Capten Rogers oedd mynd i lawr i'r blaned, siarad â'r trigolion, bargeinio â nhw, a dod â bocs llawn o'r diamwntau yn ôl i'r Ddaear.

"Pedwar, tri, dau, un... glanio." Roedd yr Anturiwr wedi glanio'n ddiogel ar y blaned.

"O'r gorau Macs. Ydy'r gwn-laser yn barod gyda ti? O ie, cofia gysylltu'r tanc ocsigen unwaith i ni gyrraedd y clo awyr. Rhaid i ni fod yn ofalus ar y daith yma."

Trwy'r clo awyr,

i lawr y grisiau,

ac yna roedd tywod coch meddal

dan eu traed.

Wrth edrych i fyny gallent weld pedair lleuad y blaned yn yr awyr uwchben, ond roedd niwl porffor ysgafn yn cuddio'r ffordd o'u blaenau. Wrth fynd yn eu blaenau roedd y niwl porffor yn mynd yn fwy trwchus a'r awyrgylch clòs yn pwyso ar eu siwtiau undarn ac yn ei gwneud hi'n anodd iddyn nhw gerdded.

Wrth gerdded yn araf yn y niwl porffor syrthiodd y ddaear dan draed Macs a llithrodd i lawr llethr serth yn araf. Glaniodd yn ddiogel ar ei draed ar lawr meddal a gwlyb. Dan ei draed roedd porfa goch, feddal fel carped melfed yn ymestyn mor bell ag y gallai weld.

Yn sydyn, clywodd wichiadau o'i amgylch.

Rhewodd yn ei unfan gan ofn.

Llanwodd y gwichiadau ei glustiau

fel petai mil o ystlumod yn yr awyr

neu fil o lygod mewn stiwdio recordio

i gyd yn gweiddi i mewn i un

meicroffon mawr.

Distawodd y sŵn yn sydyn.

Y cyfan y gallai Macs ei weld oedd niwl porffor a phorfa goch dan ei draed.

Yna, heb rybudd - Pwff! Roedd rhywbeth bach glas yn nofio o flaen ei lygaid. Wrth edrych yn fanwl gwelodd Macs mai pelen fach las, ddisglair ydoedd - pelen heb goesau na breichiau, dim ond trwnc yn sticio allan o dop y belen fel trwnc eliffant, gydag un llygad mawr ar flaen y trwnc. Roedd y belen yn nofio yn yr awyr yn union o flaen Macs, ac roedd y llygad yn edrych yn syn arno.

"Ie, Macs beth 'ych chi eisiau ar ein planed ni?" gwichiodd y belen las.

Cafodd Macs gymaint o sioc fod y belen yn medru siarad ei iaith ac yn gwybod ei enw - ddywedodd e ddim byd ond, "Y, y, r'yn ni'n dod mewn heddwch."

"O 'ych chi Macs?"

"Sut 'ych chi'n gallu siarad â mi? Sut 'ych chi'n gwybod fy enw?"

"Rwy'n medru gwybod eich meddwl chi, mae gan y Mochochiaid ffordd arbennig o ddysgu unrhyw iaith."

"O wela' i."

"Wel, pam ddaethoch chi 'ma?" gofynnodd y Mochochiad eto.

"Wel, roeddwn i'n gobeithio cyfnewid rhywbeth am eich diamwntau chi."

"Diamwntau? Pam 'ych chi eisiau diamwntau?"

"Wel, rydyn ni'n hoffi eu golwg nhw," meddai Macs gan ddweud celwydd.

"Rwy'n gwybod pan fyddwch chi'n dweud celwydd Macs. Wedi dod o'r Ddaear 'ych chi ynte?"

" Ie, mae'n planed ni, y byd, yn y Llwybr Llaethog."

"Rydych chi'n dweud y gwir. Fe wna i fargen gyda chi."

"Iawn. Beth 'ych chi eisiau gen i?"

"Eich poer. Mae ein gwyddonwyr ni eisiau poer dynol er mwyn ateb llawer o gwestiynau am eich gwlad chi a'ch pobol. Ydych chi'n fodlon?"

"Ydw, siŵr iawn," cytunodd Macs yn syth.

"Dyna fargen - poerwch fan hyn." Roedd dysgl fach arian o'i flaen. Poerodd Macs iddi. Yna, ciliodd y Mochochiad i'r niwl a diflannodd. Doedd dim i'w weld ond y niwl porffor a'r borfa goch.

"Ond beth am y diamwntau?" gwaeddodd Macs. Yna sylweddolodd fod y bocs coch wedi mynd yn drwm iawn yn sydyn. Agorodd y bocs a daeth gwên i'w wyneb wrth weld ei fod yn llawn diamwntau.

Allan o'r niwl porffor trwchus camodd y Capten.

"Macs, diolch byth! Roeddwn i'n meddwl 'mod i wedi dy golli. Brysia mae'r ocsigen yn dod i ben."

Yn sydyn, gwelodd y Capten y bocs coch yn llawn diamwntau.

"Gwych! Gwych! Tyrd yn ôl i'r llong ofod."

Drwy ddefnyddio'r system radar yn eu helmedau medrodd y ddau ymlwybro drwy'r niwl yn ôl i'r Anturiwr.

Aeth y ddau drwy'r clo awyr ac yna, "Tri! Dau! Un! i ffwrdd â ni."

Am oriau ar ôl cyrraedd y fam-long bu siarad cynhyrfus wrth i Macs ddisgrifio'r Mochochiad. Macs oedd arwr mawr y daith.

Ond yn sydyn, dyma smotyn mawr yn ymddangos ar sgrîn radar y fam-long a seiren yn dechrau sgrechian.

Gwaeddodd y Capten, "Lladron-gofod! Lladron-gofod! Pawb i'w le ar unwaith." Rhedodd pawb i'w safle. Daeth y lladron-gofod yn nes ac yn nes. Macs a'r Capten oedd yn rheoli'r gynnau laser pwerus. Daeth llong ofod y lladron

yn nes

ac yn nes

ac yn nes.

Llanwyd y gofod gan sŵn gynnau laser pwerus yn tanio. Crynodd y fam-long wrth i'r gelyn daro ac achosi difrod i'r llong.

Sgrechiadau!

Cryndod!

Fflachiadau!

Ffrwydriadau!

"Macs, tro nesa daw e'n agos, anela am ei danc tanwydd neu mae hi ar ben arnon ni."

Roedd Macs yn gwybod mai dim ond un cyfle oedd ganddo. Os methai byddai'r gofod-ladron yn taro eu llong yn erbyn y fam-long, ac yn ffrwydro eu ffordd i mewn ac yn eu lladd i gyd. Dim ond un siawns!

Daeth llong y gofod-ladron yn nes a gwelodd y tanc tanwydd oddi tani. Bang! Bang! Yna, daeth ffrwydriad enfawr. Goleuwyd y gofod gan fflam enfawr a chrynodd y fam-long.

"Da iawn Macs!" chwarddodd y Capten, "Roeddwn i'n meddwl ei bod hi ar ben arnon ni. Diolch byth does dim llawer o ddifrod ac fe allwn ni ddechrau ar ein taith adre i fwynhau'r trysor."

* * * * *

Ond y funud honno y tu fewn i'r bocs coch, yn ddiarwybod i bawb, dechreuodd y diamwntau feddalu, ac yna colli eu sglein... a chyn pen dim

TRAFOD

Trafodwch y stori gan ddweud sut y byddech chi'n ei gwella.

ADDASU

Addaswch y stori yma gan greu stori hollol wahanol drwy ddefnyddio cynllun a llawer o eirfa'r stori hon.

GEIRFA
STORI
WYDDONIAS

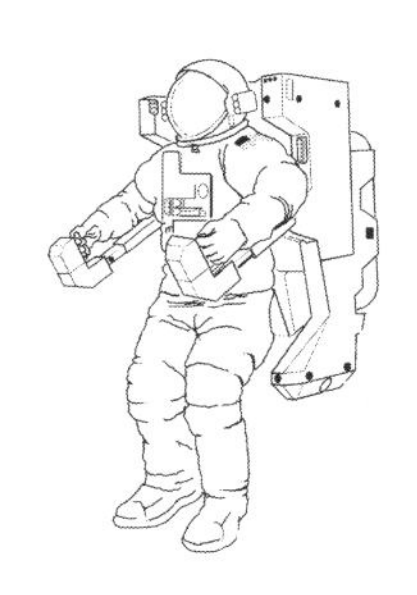

PLANEDAU
niwl gwyrdd
llwch ymbelydrol
tywod coch
haul porffor
glaw asid
môr oren
cymylau gwyrdd

CREADURIAID
gwaed tryloyw
otomatig
hirgul
amryliw
hirgoes
anghenfil
bwystfil
epa-ddyn
trychfil-ddyn
morgrug-ddyn

GOFODWR/ GOFODWRAIG
astronot
robotiaid
gwarchodwyr
robotfilwr
robotwas
robotforwyn
anturiaethwr
caethwas

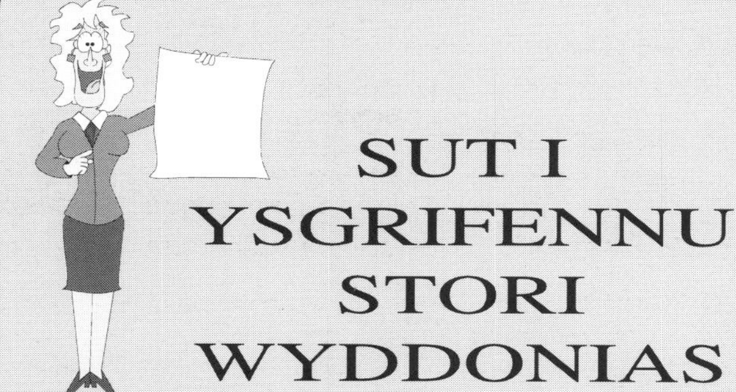

SUT I YSGRIFENNU STORI WYDDONIAS

- ❑ Rhaid cael geirfa a thermau arbennig.
- ❑ Cewch lawer o hwyl yn dyfeisio geiriau newydd a chreu geirfa wyddonias.
- ❑ Defnyddiwch eich dychymyg a chreu pob math o ffantasïau a darluniau geiriol.
- ❑ Gallwch ddefnyddio hen thema neu chwedl a'i gwneud yn stori wyddonias.
- ❑ Gwnewch ddisgrifiadau gwahanol o bobl, golygfeydd, digwyddiadau, gan greu naws arbennig.
- ❑ Cofiwch fod y cymeriadau yn gallu bod yn gwbl wahanol o ran golwg ac ymddygiad i bobl - felly crëwch ddisgrifiadau o greaduriaid a robotiaid sy'n edrych ac yn siarad yn wahanol.

YMARFER

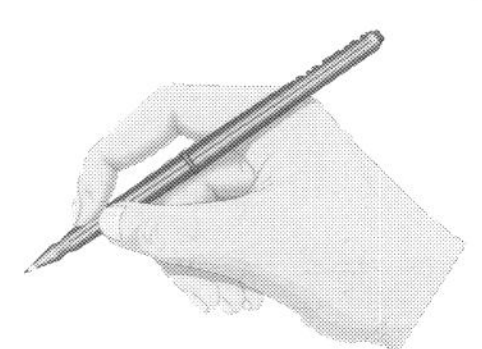

- ◆ Disgrifiwch greadur o blaned arall.
- ◆ Defnyddiwch eich dychymyg i greu disgrifiad o blaned arall gan ddefnyddio geirfa wyddonias, ansoddeiriau a chyffelybiaethau.
- ◆ Disgrifiwch weithredoedd gofodwyr mewn llong ofod.
- ◆ Gan adeiladu ar sail y tri disgrifiad rydych chi wedi'u creu ysgrifennwch stori wyddonias.

GEIRFA
STORI
WYDDONIAS

OFFER GOFODWR
siwt undarn
gwn-rhewi
gwn-pelydr
gwn-laser
gwn-proton
cyllell-laser
chwilolau

Y LLONG OFOD
hwylio
llywio
ffrwydro
fflachio
goleuo
tanio
saethu
glanio
porth-dianc
panel rheoli
clo awyr
pelydrau
gwagle
diddymdra
galaeth
seren wib
lleuadau
heuliau
cylchdro

FEDRWCH CHI GREU RHAGOR O EIRIAU AR GYFER EICH STORI WYDDONIAS?

YSBRYD YR HEN BLAS

gan Dyfed Huws

Dyma beth yw gwely esmwyth, meddyliodd Howard Huws wrtho'i hun, a dyna braf cael gorffwyso ar ôl holl helbul y diwrnod. Teithio o gwmpas y wlad yn gwerthu yswiriant oedd gwaith Howard, a heddiw roedd ei gar wedi torri lawr wrth groesi mynydd ymhell o bob man. Ar ôl cerdded rhyw bum milltir a mynd ar goll yn llwyr roedd e wedi dod o hyd i'r hen blasdy yma yn y coed.

Ond wrth feddwl nôl dros ddigwyddiadau'r dydd dechreuodd deimlo'n anesmwyth. Roedd hi'n nosi pan gyrhaeddodd y lle, ac roedd hi'n rhyfedd nad oedd golau i'w weld yn unman. Roedd e wedi gorfod cnocio a chnocio cyn cael ateb. Pam nad oedd golau yn yr hen le pan gyrhaeddodd?

Mwy rhyfedd fyth oedd golwg ac ymddygiad y dyn a ddaeth i ateb y drws yn dal cannwyll yn ei law. Roedd ganddo wyneb gwelw, gwelw; talcen uchel, crychiog a llygaid gwallgof yn rhythu arnoch chi. Roedd yn siarad mewn sibrydion, ac yn awyddus iawn i'r teithiwr aros dros nos a chael stafell i gysgu ynddi. Wrth feddwl dros y peth roedd yn edifar ganddo iddo aros mewn lle mor unig gyda dyn mor rhyfedd.

Yn sydyn, torrwyd ar ddistawrwydd y nos gan sŵn annaearol. Sŵn udo ci yn y plas. Cododd Howard Huws ar ei eistedd yn y gwely a gwrando. Dyna fe eto. Roedd fel petai'r ci mewn poen. Udodd y ci eto'n hir

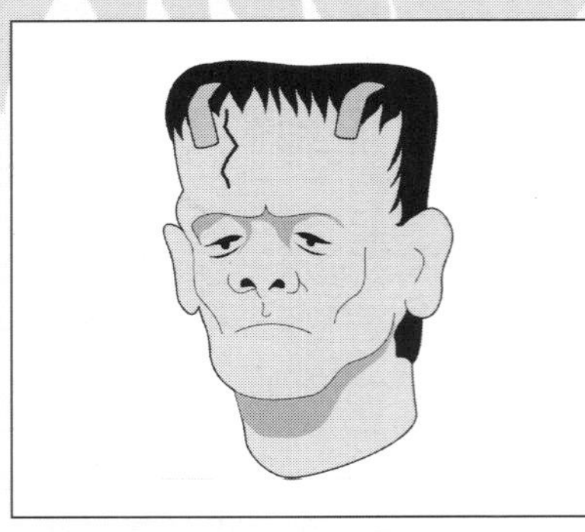

ac oerllyd - yna distawrwydd. Roedd yn rhy hwyr i fynd oddi yno nawr. Doedd dim amdani ond aros yno y noson honno. Cododd y dillad dros ei ben a cheisio cysgu, ond dim ond troi a throsi a wnâi a meddwl am wyneb a llygaid rhyfedd dyn y plas a sŵn y ci'n udo.

Cododd a mynd at y ffenest. Roedd golau'r lleuad yn llifo drwy'r ffenest gan daflu cysgodion rhyfedd ar yr hen luniau ar y waliau. Trodd ei wyneb i ffwrdd rhag edrych rhagor ar y lluniau, oherwydd fe gafodd y teimlad rhyfedd fod y bobl yn y lluniau yn edrych yn gas arno. Edrychodd allan drwy'r ffenest. Doedd dim i'w weld ond y coed tal, tywyll yn taflu cysgodion dros yr hen blas.

Yna'n sydyn, clywodd sŵn siffrwd ysgafn fel lleisiau'n sibrwd yn y pellter, ac yna chwerthin gwallgof. Aeth chwys oer drosto. Neidiodd o'r gwely a mynd at y drws. Trodd yr allwedd yn y clo a rhoi'r allwedd o dan ei obennydd. Teimlai'n fwy diogel nawr. Ond beth petai allwedd arall gan ŵr y tŷ? Byddai! Byddai allwedd arall gydag e'n sicr!

Dechreuodd grynu mewn ofn a theimlodd don o anobaith a gwendid yn llifo drosto. Roedd rhaid gwneud rhywbeth. Neidiodd o'r gwely eto a llusgo cist drom at y drws a'i gwthio yn ei erbyn. Dyna fe'n ddiogel nawr - fedrai neb ddod mewn bellach. Aeth yn ôl i'r gwely.

Roedd ar fin cysgu pan glywodd sŵn traed yn dod yn araf i fyny grisiau'r hen blas ac yn llusgo i lawr y coridor cyn stopio y tu allan i'w ddrws ef. Roedd ei galon yn curo fel drwm erbyn hyn a'r ofn yn ei barlysu. Fedrai e ddim symud gan ofn. Teimlodd ias oer yn llifo i lawr ei gefn, ac roedd ei geg mor sych â chorcyn.

"Helo, pwy sy 'na?" galwodd, ond doedd neb yn ateb.

O'r diwedd, pwysodd dros ochr y gwely a chynnau'r fflachlamp a'i goleuo ar y drws. Er mawr syndod iddo gwelodd fwlyn y drws yn troi'n araf, araf. Yn fwy dychrynllyd fyth, er gwaethaf y gist fawr yn pwyso yn ei erbyn, dechreuodd y drws agor yn araf a gwichlyd. Gwthiwyd y gist yn ôl, ac yno yng ngolau'r fflachlamp safai dyn y plas gyda'i wyneb gwelw yn wyn fel y galchen, ei lygaid yn rowlio'n orffwyll yn ei ben, a gwaed yn diferu o'i geg. Dechreuodd groesi'r stafell yn araf, araf. O'r diwedd safodd yn ymyl y gwely ac agor ei geg a gwenu'n orffwyll - gwên a ddangosai ei ddannedd miniog, milain fel dannedd blaidd. Plygodd dros y gwely...

DARLLEN

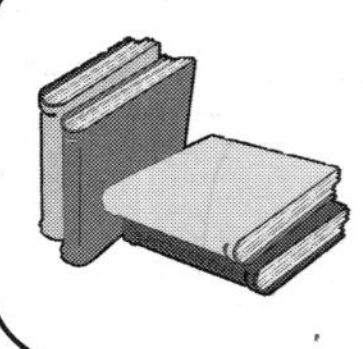

Storïau'r Dychymyg Du *Arswyd y Byd*

Gwnewch restr o'r geiriau a'r ymadroddion yn y storïau sy'n creu naws ac arswyd.

SUT I YSGRIFENNU DRAMA RADIO

- **Defnyddiwch y patrwm cywir:**
  Rhowch enw'r person sy'n siarad, yna colon, yna'r ddeialog:
  Twm: Beth sy'n bod?
  Dai: Rwy'n ceisio cael rh'wbeth allan o'r domen yma.
  Twm: Pam? O's rh'wbeth pwysig wedi cw'mpo i ganol y domen?
  Dai: Mae 'mag i 'di cw'mpo i ganol y domen.
  Twm: Paid â gofidio - fe fedri di brynu bag arall!
  Dai: Ond mae rhaid i fi gael y bag - mae 'mrechdanau i ynddo!

- **Nodwch yr effeithiau sain:**
  Sŵn anifeiliaid ar y buarth - yn enwedig y gwartheg yn brefu.
  Sŵn brefu gwartheg; clwyd yn agor a chau.

- **Nodwch sut mae'r cymeriad yn llefaru:**
  Mae'r cyfarwyddiadau ar sut i lefaru yn cael eu rhoi mewn cromfachau:
  Dai: *(yn wyllt)* Mae'n chwarter i naw!
  Tom: *(yn hapus)* Do, mi g-g-godais yn fore heddiw ond d-d-d-do fe?

- **Ceisiwch wneud ffordd o siarad pob cymeriad yn wahanol:**
  Mae gan bob cymeriad ei ffordd ei hun o siarad.
  D-d-dere nôl, dere nôl t-t-tarw bach, dere n-n-nôl.
  Na - y blydi tarw yw hwnna'r lembo!
  O dydw i ddim wedi bod mor *humiliated* yn fy mywyd erioed.

- **Cofiwch fod iaith drama yn agos at yr iaith lafar.**
  Defnyddiwch iaith syml, lithrig 'run fath â iaith lafar bob dydd:
  yn lle ***pobl*** defnyddiwch ***pobol***

- **Defnyddiwch ffurfiau llafar berfau:**
  yn lle ***Roeddwn*** defnyddiwch ***Ro'wn i/'O'n i***
  yn lle **Rydyn ni** defnyddiwch **Ryn ni**

- **Defnyddiwch ebychiadau:**
  Myn diain i! Wel ar f'enaid i!

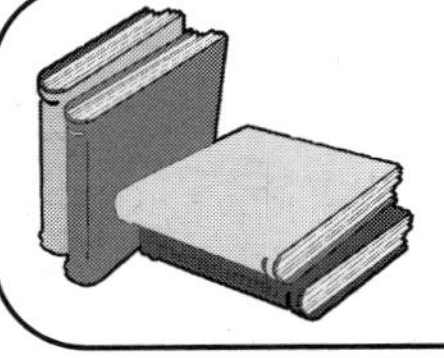

DARLLEN

Dramau W.S.Jones/Ifan Gruffydd Jones/*Cyfres y Llwyfan* Gwasg Carreg Gwalch.

LLYTHYR YNGLŶN Â PHROBLEM

Annwyl Madam Sara,
Mae gen i broblem fawr. Mae fy ngwallt yn seimllyd ac mae gennyf blorynnod coch, cas ar fy wyneb. Rwy'n ofni y bydd pobl yn gwneud sbort am fy mhen. Rwy'n teimlo bod y bechgyn yn hoffi merched gyda chroen glân ac nad oes obaith i mi gael cariad. Fedrwch chi roi cyngor i mi?

Yn gywir,
Elen

Annwyl Elen,
Mae'r plorynnod, croen seimllyd a gwallt seimllyd yn bethau cyffredin iawn ymhlith pobl ifanc. Gallwch fynd at eich meddyg i gael eli neu dabledi os yw'r plorynnod (acne) yn wael iawn. Peidiwch â bwyta pethau melys ond yn hytrach rhaid i chi fwyta ffrwythau a bwyd iach. Peidiwch â gofidio, mae'r rhan fwyaf o bobl yn gwella wrth fynd yn hŷn.

Yn gywir,
Madam Sara

Annwyl Madam Sara,
Mae fy ngŵr i'n hoffi gwneud gwaith tŷ. Mae wrth ei fodd yn hwfro, smwddio, glanhau, ac yn y blaen. Does dim raid imi ofyn iddo fy helpu, yn wir, does dim gwaith tŷ ar ôl i mi ei wneud.

Yn gywir,
Mrs Higginsworth

Annwyl Mrs Higginsworth,
Mae eich gŵr yn wahanol i bob dyn arall rwy wedi'i adnabod erioed. Pan fydd e farw awgrymaf eich bod yn gwneud cerflun ohono a'i roi yng nghanol y dre, gan obeithio fydd dim gwahaniaeth gydag e fod y colomennod yn domi ar ei ben.

Yn gywir,
Madam Sara

Annwyl Madam Sara,
Rwy'n ddeunaw oed ac yn ddiweddar rwy wedi cael fy mhoeni gan draed drewllyd ofnadwy - yn enwedig ar ddiwrnodau poeth yn yr haf. Mae fy mrawd yn gwrthod bod yn y stafell pan fyddaf yn tynnu fy esgidiau i ffwrdd. Fe es i i Wersyll yr Urdd yng Nglan-llyn eleni, ac roedd pobl oedd yn aros yn yr un stafell wedi llewygu oherwydd y drewdod.
Oes gyda chi gyngor ar sut mae gwella traed drewllyd?

Yn gywir,
Dai

Annwyl Dai,
Pan oeddwn i yn yr ysgol roedd bachgen 'run fath â chi yn yr un dosbarth â mi. Roedd yr athrawes yn rhoi gwers ar y synhwyrau ac yn dweud bod y llygaid i weld, y clustiau i glywed, y trwyn i arogli a'r traed i redeg. Ond fe gododd y bachgen yma ei law a dweud ei fod e'n wahanol, "Wel Miss, fy nhrwyn i sy'n rhedeg a 'nhraed i sy'n arogli." Ond o ddifri, rhaid i chi wneud rhywbeth. Gwisgwch Doc Martins am eich traed a gofalwch eu berwi bob dydd ac arllwys potelaid o bersawr cryf ar eich sanau bob nos.

Yn gywir,
Madam Sara

Annwyl Madam Sara,
Mae fy nghariad a minnau wedi bod yn caru ers pum mlynedd ond yn ddiweddar rwy wedi clywed sibrydion amdano.
Dywedwyd wrthyf ei fod yn mynd i weld merch o Lanelli ar nos Sul, merch o Gaerfyrddin ar nos Lun a'i fod yn mynd i weld merch o Geinewydd bob nos Iau. Mae e'n dod ata' i bob nos Fercher a nos Sadwrn.
Sut mae e'n gallu gwneud y fath beth?

Yn gywir,
Blodwen

Annwyl Blodwen,
Mae'n bosib ei fod wedi prynu beic modur!
Yn gywir,

SUT I YSGRIFENNU LLYTHYR YNGLŶN Â PHROBLEM

- ❑ Defnyddiwch "Annwyl..."
- ❑ Dyma rai patrymau posib:

Y LLYTHYR	Y CYNGOR
Rwy'n ysgrifennu atoch ynglŷn â...	Fy nghyngor i yw...
Rwy'n teimlo'n ddiflas oherwydd...	Peidiwch â...
Rwy'n ofni...	Rhaid i chi...
Mae gen i broblem...	Yr unig ateb yw...
Fedrwch chi fy helpu i?	Gofalwch...
Sut mae datrys y broblem?	Ceisiwch...

TRAFOD

Trafodwch y math o bethau mae pobl yn ysgrifennu yn eu cylch wrth ddanfon llythyr ynglŷn â phroblem. Trafodwch hefyd yr atebion posib i'r problemau.

YMARFER

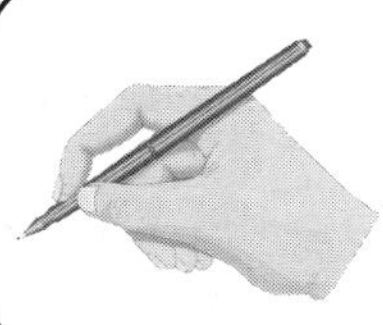

Ysgrifennwch lythyr ynglŷn â phroblem at golofnydd cylchgrawn sy'n rhoi cyngor i bobl sy â phroblemau a rhowch yr ateb i'r llythyr hefyd.

DYDDIADUR

Un math o ddyddiadur yw dyddiadur diwrnod, sef cofnodi'r hyn sy'n digwydd mewn diwrnod.

DYDDIADUR DIWRNOD DITECTIF

gan Alwen Thomas

08.30. Cyrraedd Gorsaf yr Heddlu. Eistedd i lawr a darllen y nodiadau ar y gwaith a wnes i ddoe wrth holi o dŷ i dŷ am y llofruddiaeth.

09.00 Mae'r Prif Dditectif o Lundain sy wedi dod yma i ddatrys y llofruddiaeth eisiau adroddiad gan y pump ohonon ni sy'n gweithio ar yr achos. Roedd ganddo ddiddordeb arbennig mewn dyn o'r enw John Hughes roeddwn i wedi'i holi ddoe. Roedd am i fi fynd nôl i weld y dyn yma a'i holi eto.

10.00 Dangosodd y Prif Dditectif y llun o'r llofruddiaeth i ni. Ych-a-fi! Roedd yr holl waed a'r anafiadau difrifol a gafodd y ferch ifanc yn fy ngwneud yn sâl a bu'n rhaid i mi adael y stafell.

12.00 Cael cinio yn Ffreutur y gwaith. Mae'r bwyd yn wael.

12.30. Gyrru i Fangor i holi John Hughes eto. Mae e'n byw ar ei ben ei hun mewn tŷ mawr ar ochr y dre. Lle unig gyda lôn hir yn arwain at y tŷ sy mewn coed tywyll.

13.00. Pasio bwthyn bychan ar dop y lôn sy'n arwain i dŷ John Hughes a gweld hen wraig wrth glwyd yr ardd yn ceisio cario bin mawr. Stopio i'w helpu. Mae hi'n mynnu 'mod i'n mynd i'r tŷ i gael paned.

13.15. Dywedodd yr hen wraig fod John Hughes yn mynd allan yn hwyr y nos mewn dillad du a'i bod wedi'i weld e lawer tro yn mynd heibio yn oriau mân y bore.

13.30. Cnocio drws tŷ John Hughes. Ar y dechrau roedd e'n gwrthod siarad â mi eto. Ond dywedais y byddai'n rhaid iddo ddod i Orsaf yr Heddlu os na fyddai'n siarad â mi nawr.

14.15. Wrth ei holi gofynnais iddo a oedd yn mynd allan yn hwyr y nos. Dywedodd nad oedd a'i fod yn aros yn y tŷ bob nos. Pan ddywedais fod rhywun wedi'i weld e allan yn hwyr lawer noson gwylltiodd a thynnu cyllell allan. Diolch i fy ngwersi Karate mi rois i gic iddo a rhedeg o'r tŷ gynted medrwn i.

14.30. Ffonio Swyddfa'r Heddlu ar y ffôn symudol i ofyn i'r heddlu arfog ddod ar unwaith.

14.40. Car yn fy nghodi o waelod y lôn a mynd i dŷ John Hughes. Wrth i ni agosáu at y tŷ taniodd arnon ni a saethu Tom (un o'r plismyn arfog) yn ei goes.

15.00. Y Prif Dditectif wedi cyrraedd erbyn hyn ac yn gorchymyn cadw pawb yn ôl yn bell o'r tŷ. Galw dros yr uchelseinydd ar i John Hughes ildio a dod allan. Ei unig ateb oedd tanio a malu ffenest car heddlu.

16.00. Cael gorchymyn gan y Prif Dditectif i fynd nôl i'r swyddfa i wneud adroddiad llawn.

17.45 Wedi gorffen teipio fy adroddiad. Mynd â'r adroddiad i'r Prif Gwnstabl.

18.30 Cyrraedd adre a chael brechdanau i swper. Troi'r teledu mlaen i weld fod y dynion teledu yn darlledu o ymyl y tŷ ac yn dangos lluniau o'r tŷ ac yn dweud bod dyn arfog yn gwrthod ildio i'r heddlu.

19.30. Cael galwad o Swyddfa'r Heddlu yn dweud bod y gwarchae ar ben gan fod John Hughes wedi ei saethu'i hun yn ei ben. Y Prif Dditectif am i mi fynd nôl i'r orsaf i drafod fy adroddiad.

20.15. Cyrraedd yr Orsaf. Y Prif Dditectif yn fy holi am yr hyn ddigwyddodd ac yn canmol fy newrder. Dywedodd ei fod yn mynd i argymell 'mod i'n cael medal am fy newrder.

21.00. Cyrraedd y tŷ wedi blino'n lân. Teimlo'n falch ein bod ni ferched yn dangos ein bod ni'n gallu gwneud gwaith ditectif lawn cystal â'r dynion.

YMARFER

Gwnewch ddyddiadur diwrnod un o'r canlynol:

nyrs *peilot* *model* *chwaraewr pêl-droed*
lleidr *cogydd* *seren bop* *anturiaethwr*

Mae dyddiadur fel arfer yn cofnodi'r hyn sy'n digwydd bob diwrnod fel hyn:

DYDDIADUR RHYWUN DIGARTREF

gan Rhodri James

Dydd 1. Aros mewn gwesty Gwely a Brecwast yn *Marble Arch*. Hen le brwnt a diflas. Mae'r bwyd yn ofnadwy. Mae'r landlord yn gwneud arian allan o drueni pobl fel fi. Dyn tew, blonegog, chwyslyd yw e - gyda llygaid bach slei fel cadno. Ych-a-fi! Dwy i ddim yn ei hoffi e! Mae e naill ai'n cyfarth yn gas arna i neu'n siarad â fi mewn llais fel triog. Gobeithio y bydda i'n cael gafael ar well lle na'r twll hwn cyn bo hir.

Dydd 2. Fe es i i'r Swyddfa Dôl. Menyw hyll, galed gyda wyneb main a gwefusau tenau tu ôl i'r cownter. Roedd hi'n hen wrach gas, ac yn siarad â fi fel petawn i'n faw! Fe ddywedodd hi y byddai raid i mi aros am ddeg diwrnod cyn cael unrhyw arian. Gwrthododd fy helpu i lanw'r ffurflen, ond diolch byth roedd hen ŵr addfwyn wedi fy ngweld i'n crio ac fe helpodd e fi i'w llanw. Ar ôl fy helpu fe ddywedodd, "Peidiwch ag aros yn y ddinas uffarn 'ma, merch fach i, ewch nôl at eich teulu."

Dydd 5. Diflas yw cerdded o gwmpas gyda dim byd i'w wneud. Beth wnewch chi mewn dinas heb arian? Dim arian i fynd i gaffi; dim arian i fynd i dafarn; dim arian i brynu dim yn y siopau. Diwrnod diflas arall.

Dydd 10. Ddaeth y Giro ddim gyda'r post. Fe arhosais i yn y tŷ i weld a ddeuai gyda'r post prynhawn. Ond ddaeth y Giro ddim. Fe es i i'r gwely'n gynnar, ond rwy fan hyn yn methu cysgu. Mae hiraeth arna i am Mam a Dad. Pam oedd raid i Dad farw? Pam oedd raid i Mam ailbriodi?

Dydd 11. Fe ges i fy nhaflu allan o'r llety am fod dim arian gyda fi i dalu'r rhent. Fe es i lawr at y DSS. Fe ddywedodd y wrach tu ôl i'r cownter fod y siec yn y post. Fe dorrais i lawr a chrio o'i blaen hi a dweud bod rhaid i mi gael arian. Y cyfan wnaeth hi oedd edrych yn gas arna i a dweud, "Esgusodwch fi - mae yna bobol eraill yn disgwyl eu tro." Fe gysgais yn nrws un o'r siopau neithiwr - ond fe ddihunodd yr heddlu fi a dyma fi yng nghanol nos yn cerdded y strydoedd i gadw'n gynnes.

Dydd 12. Fe gysgais i ar y sedd yn y parc yn y prynhawn yn yr haul, ond wn i ddim be wna i heno.

Dydd 13. Cysgais allan neithiwr eto dan focs cardfwrdd dan y bont gyda dau drempyn meddw. Fe ges i fy nihuno gan sŵn y ddau'n ymladd ac fe redais i oddi yno ar frys.

Dydd 14. Rwy wedi bod yn teimlo'n oer drwy'r dydd, ac rwy'n crynu. Does gen i ddim cot fawr bellach - fe werthais hi am ddwy bunt. Roedd hi'n got frethyn dda hefyd ac yn werth llawer mwy, ond doedd gen i ddim dewis. Wedi cael llond bol ar fwyta sglodion.

Dydd 15. Fe es i i'r Swyddfa *DSS* unwaith eto. Gorfod i mi aros yno drwy'r bore. Roedd hen wraig yn fy ymyl yn siarad â hi ei hun ac yn drewi. Yr ochr arall i mi roedd mam ifanc lwyd, denau gyda chlais du ar ei boch a'r baban yn ei breichiau yn crio'n ddi-stop. Fe gefais i beth arian gan y DSS.

Dydd 20. Gwerthu'r wats aur a ges i gan Mam pan oeddwn yn ddeunaw oed. Cysgu ar y stryd. Oer. Newynog. Diflas.

Dydd 25. Cael rhagor o arian gan y *DSS*. Fe es i i chwilio am waith ond rwy'n edrych yn rhy frwnt a thlawd i neb roi gwaith i fi.

Dydd 27. Gwneud ffrindiau gyda phobl ifanc eraill sy'n ddigartref. Cefais fy mlas cyntaf ar gyffuriau heddiw. Gwelais ddau o'r bechgyn yn mygio hen ŵr i gael arian i brynu cyffuriau. Mae cysur mewn bod yng nghwmni rhywun sy yn yr un twll â fi.

Dydd 30. Rhaid i fi beidio aros gyda'r gang yma'n rhy hir neu fe fyddaf mewn trwbwl. Maen nhw'n dwyn unrhyw beth allan nhw ac yn mygio pobol.

Dydd 31. Ceisias dorri fy ngarddwrn gyda raser. Roeddwn i wedi cael digon. Rwy yn yr Ysbyty nawr ac maen nhw'n mynd i 'nghadw i mewn dros nos. Mae hi'n gynnes ac yn braf yn yr Ysbyty - ond rwy'n gwybod mai nôl ar y stryd fydd fy hanes i yfory eto gwaetha'r modd.

Dydd 35. Cefais fy arestio heddiw am fygio hen ŵr a dwyn dwy bunt oddi arno. Roeddwn i eisiau'r arian i brynu cyffuriau ac roeddwn i newydd gymryd cyffuriau ac alcohol cyn mygio'r hen ddyn. Doedd gen i ddim syniad beth oeddwn i'n ei wneud. Treulio'r noson mewn cell heddlu heno.

Dydd 37. Rwy'n gweld nawr fod fy iechyd yn gwaethygu bob dydd. Peswch drwy'r dydd heddiw ac yn crynu o eisiau cyffuriau. Beth sy'n mynd i ddigwydd i mi?

DYDDIADUR YN SEILIEDIG AR

UN CAM AR Y TRO

gan Karina Perry

Dydd Llun 7 Mawrth. Rwy wedi cael digon... digon... DIGON! Pa bwrpas sy mewn byw pan mae'ch ffrindiau i gyd yn denau a siapus a chithau'n dew fel casgen? Pa bwrpas sy mewn byw pan mae'n rhaid i chi wneud popeth gartre a cheisio ymdopi gyda'r gwaith ysgol hefyd? Rwy'n clywed lleisiau Mam a Dad yn y gegin yn ffraeo eto; Iestyn yn y stafell drws nesa yn gwisgo i fynd allan i feddwi yn y dafarn; llais Carys yn ailadrodd ei thablau drosodd a throsodd yn atseinio drwy'r tŷ i gyd. Llawer o waith cartref i'w wneud erbyn yfory ond rwy heb gael cyfle i wneud dim. Dad newydd adael gan glepio'r drws ar ei ôl heb feddwl pwy sy'n gorfod cysuro Mam wedi iddo fynd.

Dydd Mawrth 8 Mawrth. Diwrnod ofnadwy yn yr ysgol heddiw! Roeddwn i wedi anghofio fy nhraethawd i Joni Spits ac fe ges i bregeth ganddo ac fe lewygais o'i flaen. Fydd Tegid fyth yn fy ngharu i ar ôl beth ddywedodd Joni Spits wrth fy nghodi i o'r llawr, *"You weigh a ton... you weigh a ton."* Mae'r geiriau creulon wedi fy mrifo'n ofnadwy. Pam oedd raid i Tegid fod yno pan ddigwyddodd y peth? Bydd gormod o gywilydd arno fe i siarad â fi ragor siŵr o fod. Gormod o gywilydd am fy mod i'n DEW. ANGHENFIL O FRASTER CHWYSLYD. Dyna beth ydw i. Anghenfil na fydd neb fyth yn ei garu. Rwy'n hoffi Tegid, efallai'n ei garu. Rwy'n teimlo ei fod e'n fy hoffi - yn fy ngharu? Mor braf fyddai cael bod yn denau! Efallai y byddai pobl yn sylwi arna i wedyn ac yn gorffen fy ngalw'n enwau fel "Roli Poli" a "Hyd a Lled". Ie, dyna beth wnaf i - fe gollaf i lawer o bwysau!

Dydd Llun 9 Mai. Teimlo'n dda! Rwy'n cael fy nghanmol i'r cymylau gan yr athrawon i gyd am y gwelliant yn fy ngwaith. Rwy'n siŵr fod Mam yn gwella. Fe aeth i gael bath heddiw ac fe olchodd ei gwallt ac fe wnaeth ymdrech i siarad a gwylio'r teledu hefyd. Mae Delyth a'r genod eraill yn eiddigeddus nawr wrth weld fy nghorff newydd siapus. Rwy'n teimlo'n hapus 'mod i wedi mynd drwy'r dydd heddiw heb fwyta dim ond dwy ddeilen letys a hanner tomato. Diod o ddŵr yn unig ges i i frecwast a chymrais i ddim te na swper chwaith.

Dydd Mawrth 10 Mai. Rwy'n dechrau teimlo'n wan nawr. Rwy'n teimlo fel cwympo ar y gwely a syrthio i drwmgwsg am byth. Ond mae'n rhaid i mi ddal ati i weithio'n galed i golli pwysau.

Dydd Mercher 11 Mai. Mae pawb yn dweud 'mod i wedi colli llawer o bwysau, ond pan fyddaf i'n edrych yn y drych fyddaf i'n gweld dim ond rholen dew. Mae'r merched yn siarad amdana i tu ôl fy nghefn a'r athrawon yn dweud 'mod i'n gweithio'n rhy galed. Mae hyd yn oed Dad a Mam yn gofyn a oes rhywbeth yn fy mhoeni. Wrth orwedd yn fy ngwely heno rwy'n teimlo sgrech y newyn yn codi yn fy mola, yn union fel rhyw neidr gudd sy'n gwasgu yn fy mherfedd .

Dydd Iau 12 Mai. Mi es i allan i'r pictiwrs heno gyda Tegid, Gwenllian a Rhys. Dyna beth oedd noswaith! Pan dynnodd Tegid yr oren siocled o'i boced roeddwn i'n teimlo fel marw. Roeddwn i'n teimlo'n annifyr wrth roi'r siocled yn fy ngheg. Yn waeth fyth fe orfododd Gwenllian a Rhys imi fwyta sglodion a physgodyn. Wedi i mi gyrraedd y tŷ mi es yn syth i'r stafell molchi. Fe wthiais fy mys i lawr fy ngwddf a gweld y cyfog yn tywallt yn afon allan, nes bod fy nghorff yn lân a gwag unwaith eto. Rwy'n gofidio beth sy'n mynd i ddigwydd. Mae Mam yn mynnu mod i'n mynd i weld Dr Roberts ddydd Sadwrn, ond rydw i'n iawn. Dydw i ddim eisiau mynd i weld Dr Roberts.

Dydd Gwener 13 Mai. Mae pawb yn fy erbyn i. Pawb! Mae cinio mawr yn fy nisgwyl bob nos ar ôl ysgol a Mam yn benderfynol o'i wthio i lawr fy ngwddf. Rwy'n mynnu bwyta dim. Rwy'n meddwl bod y glorian wedi torri oherwydd mae'n dweud fy mod wedi colli pwysau, ond rydw i'n dew o hyd. Gorfod mynd i weld Dr Roberts cyn hir. Rydw i'n iawn.

Dydd Sadwrn 14 Mai. Roedd Dr Roberts wedi

gofyn cwestiynau personol iawn i mi heddiw. Roedd y cwestiynau yn mynd mlaen a mlaen ac roeddwn i'n teimlo fel sgrechen. "Bwyta mwy," meddai Dr Roberts. Hy! Fe gaiff Dr Roberts fynd i ganu.

Dydd Sul 15 Mai. Teimlo'n wan a digalon iawn heddiw. Ddim hwyl gwneud dim.

Dydd Llun 16 Mai. Rwy'n casáu fy ffrindiau am eu bod yn busnesa ac yn ceisio fy ngorfodi i fwyta. Rwy'n eu casáu am eu bod yn siarad amdana i tu ôl fy nghefn ac yn gofyn o hyd, "Faint wyt ti'n ei bwyso rŵan, Carys?" "Wyt ti'n sâl neu rywbeth? 'Ta trio bod fel un o'r modelau 'na wyt ti? Dim bŵbs na phen-ôl na dim." " Be wyt ti'n drio'i wneud , dwad? Lladd dy hun?" Beth wyddan nhw? Fedra i ddim bwyta. Rwy'n rhy glyfar i chi i gyd. Hawdd ydy twyllo.

Dydd Mawrth 17 Mai. Roedd yn rhaid i fi fynd i weld Dr Roberts heddiw eto. Mae o'n fy nanfon i weld meddyg arall. Rhywun sy'n arbenigo yn fy salwch i. Salwch? Pa salwch? Rwy'n holliach.

Dydd Mercher 18 Mai. Fe fues i'n gweld Dr Evans, y meddyg newydd, heddiw. Sôn am holiadur! Roedd hi'n gofyn cymaint o gwestiynau nes roeddwn i'n teimlo'n ddig. Roeddwn wedi disgwyl i Dr Evans ganolbwyntio arna i, ond roedd hi'n gofyn pethau eraill hefyd am Dad. Pwy oedd hi'n feddwl oedd hi? Does dim eisiau help arna i. Ond rwy wedi cytuno i fynd i'w gweld eto.

Dydd Iau 19 Mai. Delyth, hen bitsh fach yw hi, ond ar ôl heno rwy'n siŵr bod Tegid yn 'y ngharu i. Mi es i'r disgo, ond wedi i fi ddawnsio gyda Tegid am ychydig fe ddaeth Delyth draw a gwthio ei thrwyn mawr mewn ac fe ofynnodd hi i Tegid ddawnsio gyda hi. Mi benderfynais nad oeddwn am aros yn y disgo am eiliad arall ac mi redais allan. Ar ôl i mi redeg am ychydig mi ddaeth Tegid ar fy ôl i ac fe aethon ni am dro i'r parc gyda'n gilydd. Rwy'n difaru na ddywedais i wrtho yn y parc 'mod i'n ei garu e. Roedd yr amgylchiadau mor berffaith. Rwy wedi ceisio twyllo fy hunan fod cadw'n denau yn fwy pwysig na charu Tegid ond ar ôl heno dydw i ddim mor siŵr.

Dydd Gwener 20 Mai. Methu canolbwyntio ar ddim. Gofidio am fynd i weld Dr Evans yfory.

Dydd Sadwrn 21 Mai. Rwy'n teimlo fy hun yn crogi rhwng dau fyd - rhwng carchar unig y penderfyniad i golli pwysau a byd lliwgar hapus fy ffrindiau - byd lle mae chwerthin a gafael dwylo, byd cariadon a chusanu. Pryd wnes i chwerthin ddiwethaf? Chwerthin o ddifri? Fedra i ddim cofio. Mor braf fyddai cael bwyta 'run fath â phawb arall heb boeni am galorïau. Pan es i i weld Dr Evans roedd llais bach tu mewn i mi yn dweud taw dyma fy nghyfle i ddianc rhag fy obsesiwn gyda phwysau - dianc nôl i'r byd lle mae chwerthin a chusanu. Rwy eisiau gwella. Rwy eisiau mynd allan gyda Tegid. Eisiau cael hwyl gyda'r genod yn yr ysgol. "Rhaid i ni i gyd ddechrau o'r newydd." - dyna eiriau Mam a dyna beth rwy am ei wneud. Rwy eisiau bod 'run fath â phawb arall. Rwy wedi cytuno i geisio ennill pwysau ac i gymryd un cam ar y tro.

DARLLEN

Dyddiadur Anne Frank
Pam Fi, Duw, Pam Fi?
Tydi Bywyd yn Boen

TRAFOD

Trafodwch y modd y mae'r dyn ifanc digartref yn *Dyddiadur Rhywun Digartref* yn mynegi emosiwn. Oes datblygiad yn y dyddiadur?

Un o wendidau *Dyddiadur Rhywun Digartref* yw mai un thema'n unig sy'n cael ei datblygu yn y dyddiadur. Fedrwch chi feddwl am thema arall i'w rhoi yn y dyddiadur - megis carwriaeth, gobaith am swydd, cariad neu gasineb at berson arall, neu sôn am gymeriad arall yn yr un sefyllfa?

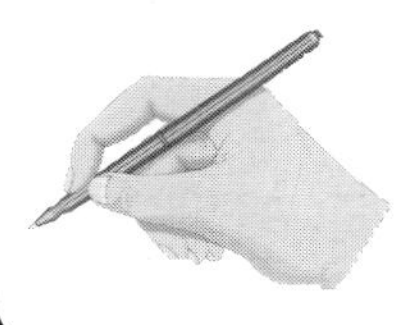

YMARFER

Ysgrifennwch ddyddiadur un o'r bobl yma:
cymeriad mewn nofel rydych chi wedi'i darllen: cymeriad opera sebon ar y teledu (megis *Pobol y Cwm*): gwleidydd enwog: aelod o'r teulu brenhinol: dyddiadur dychmygol anifail: athro: canwr pop: ffermwr.

SUT I YSGRIFENNU DYDDIADUR

- Ewch i mewn i feddwl yr un sy'n ysgrifennu. Dangoswch deimladau'r cymeriad:
  Cefais stŵr gan yr athrawes. Ych-a -fi! Hen un gas yw hi - bob amser yn pigo arna i!

- Rhowch hanes y digwyddiadau pwysig yn unig yn eich dyddiadur gan gofio rhoi'ch teimladau a'ch ymateb chi i'r digwyddiad:
  Ddim arna i roedd y bai fy mod i wedi arllwys grefi dros ei grys gwyn. Roeddwn i'n teimlo'n ofnadwy - ac roedd pawb yn edrych arna i ac yn chwerthin .

- Rhaid cael datblygiad:
  Dydd Llun: Cefais fy nghnoi gan y ci drws nesa.
  Dydd Mawrth: Rhoddais i gnoad i'r ci drws nesa.
  Dydd Mercher: Ci drws nesa'n sâl.
  Dydd Iau: Ci drws nesa'n marw.
  Dydd Gwener: Yn angladd y ci drws nesa.

- Rhaid i chi yn eich dyddiadur ambell dro gofio yn ôl a sôn am y gorffennol oherwydd mae hyn yn creu cefndir a rhoi darlun cyflawn o'r person a'r sefyllfa:
  Cofio am Mam. Piti ei bod hi wedi marw - a Dad wedi troi'n alcoholig.

- Cyfeiriwch at y cefndir er mwyn creu naws:
  Yma ar fy mhen fy hun yn y tŷ gwag, rwy'n meddwl pam oedd raid iddo fynd â'm gadael?

- Datblygwch fwy nag un thema yn y dyddiadur.

- Gallwch **ddefnyddio berfenw yn lle berf:**
  Yn lle dweud *Rwy wedi cyrraedd Gorsaf yr Heddlu.* ***Cyrraedd*** *Gorsaf yr Heddlu.*
  Yn lle dweud *Rwy'n teimlo'n wan a digalon.* ***Teimlo****'n wan a digalon.*
  Yn lle dweud *Ffoniais i ofyn am heddlu arfog.* ***Ffonio*** *i ofyn am heddlu arfog.*

- Gallwch **hepgor rhan gyntaf ffurf hir y ferf:**
  Yn lle *Rwy wedi cael llond bol.* *Wedi cael llond bol.*
  Yn lle *Mae Dad newydd adael.* *Dad wedi gadael.*

- Gallwch **ddefnyddio ambell osodiad heb ferf:** *Diwrnod diflas arall.*

YMSON

DARLLEN

Darllenwch y stori *Nel* yn y gyfrol *Ieuenctid a Henaint.*

Ymson yn seiliedig ar y stori *Nel*

gan Dyfrig Jones

Dydy'r Awdurdodau a'r hen ddyn bach ofnadwy o'r Llys ddim yn sylweddoli'r problemau rydw i'n eu hwynebu wrth ofalu am Bob - heb gymorth, heb deulu, heb gariad. Cymorth sy eisiau arna i - ac nid cosb.

Roedd Dafydd yn gariad imi. O roedd e mor ffyddlon, ffyddlon hyd nes roedd ei eisiau arna i! Pan oeddwn i eisiau help, eisiau ysgwydd i grio arni, doedd e ddim yno. Fe aeth i ffwrdd heb hidio dim amdana i a'r baban. A nawr rwy i mewn carchar, yn gaeth rhwng pedair wal a Bob fel pelen fetel drom wedi'i glymu wrth fy nghoes yn fy nal yn gaeth.

Fe fyddai bywyd yn rhwydd pe bai Bob ddim yma. Ond na! Bob yw'r unig reswm sy gen i i fyw. Mae angen Bob arna i. Mae ei grio yn fy nghyfarch pan rwy'n unig a'i wên yn fy nghroesawu i yn y bore fel haul yn tywynnu yn yr hen stafell lwyd yma.

Rwy'n cofio geiriau fy nheulu pan benderfynais gadw'r baban, *"Beth fydd pawb yn ei feddwl? Beth fydd pobl yn ei ddweud? Mam ddibriod."* Roedd fy nheulu am i mi gael erthyliad. Ond sut allwn i ladd rhywbeth oedd yn rhan ohona i? Dyna paham y gadewais fy nghartref, ond fedrwn i ddim byw gyda beirniadaeth fy nheulu bob dydd. Rwy'n cofio cerdded i lawr y stryd lle'r oeddwn wedi chwarae'n blentyn a'r cymdogion yn sbecian yn slei tu ôl i'r llenni wrth i mi fynd. Na, doedd gen i ddim dewis ond gadael y pentre.

Rwyt ti'n deall ond wyt ti, pws? Fy ffrind bach, wrth edrych ar dy gorff rwy'n gwybod dy fod ti'n gwybod sut deimlad yw bod heb neb i dy garu. Rwyt ti wedi profi'r unigrwydd a'r teimlad fod pawb yn dy erbyn. Geiriau olaf fy nhad oedd, *"Dos oddi yma. Does dim croeso i ti yma."* Ceisiais osgoi'r boen drwy ddianc i'r ddinas ac i'r fflat yma. Un stafell yw fy mywyd bellach - un bocs sgwâr a hwnnw'n wag. Gobeithio bod fy nheulu yn sylweddoli mor greulon maen nhw wedi bod. Ond mae gen i rywbeth na fydd ganddyn nhw fyth - mae gen i gariad yn fy nghalon at fy mhlentyn.

Rwy i 'run fath â thi, pws, heb gartre yn ceisio brwydro i fyw ym miniau sbwriel y byd. Ond does neb eisiau gweld mam ddibriod yn llwyddo. Dydy cyflogwyr ddim yn barod i roi cyfle i fam ddibriod. Mae mam ddibriod yn air brwnt i'r bobl barchus. Pobl barchus fel y ddwy hen wraig wirion yna yn dweud straeon celwyddog amdana i. Dydyn nhw ddim yn sylweddoli fy mod i eisiau byw ychydig o fywyd rhydd. Fyddwn i byth yn peryglu iechyd Bob.

Wel, Bob bach, dyma ti a fi a pws fach - triawd trist, heb deulu, heb ffrindiau. Does neb eisiau gwybod am ein problemau ni. Mae pawb yn rhy brysur i sylweddoli ein bod ni'n dioddef.

Do, fe gefais fynd i'r llys ac rwy'n cofio sgrechian, *"Helpwch fi - mae eisiau help arna i."* - ond roeddwn i'n siarad â wal ddideimlad. Ond fe gefais help - Miss Roberts. Miss Roberts yw'r ferch glên sy'n dod i siarad â mi, ac i sicrhau nad yw Bob yn cael ei adael ar ei ben ei hun eto. Mae hi'n dod bob prynhawn Mercher ac mae hi, chwarae teg, yn barod i wrando ar fy mhroblemau. Ond beth all hi ei wneud i ddatrys fy mhroblemau? Beth mae hi'n ei ddeall beth bynnag? Dydy hi ddim yn gwybod beth yw bod yn unig a digariad. Mae ganddi hi swydd dda, digon o arian, teulu, ffrindiau a rhyddid. Mae ganddi obaith a dyfodol.

Roedd yr Awdurdodau am fynd â Bob oddi wrtha i oherwydd cwynion di-sail dwy hen wrach sur.

Dydyn nhw ddim yn gorfod edrych allan ar yr un hen finiau sbwriel bob dydd. Pa hawl oedd gyda nhw i geisio cymryd Bob annwyl oddi wrtha i? Rwy'n eu gweld nhw'n sbïo allan tu ôl i'r llenni bob tro byddaf i'n mynd allan. Maen nhw'n cofnodi pob symudiad. Dyna dwp maen nhw. Ydyn nhw ddim yn sylweddoli fy mod i'n caru Bob? Petawn i ddim yn ei garu fyddwn i wedi cael erthyliad neu gael rhywun i fabwysiadu'r baban. Ond rwy'n ei garu - mae e'n rhan ohona i.

Dim ond llonydd am ychydig oeddwn i eisiau. Roedd yn rhaid i mi gael amser i mi fy hun - ond mae'r ddwy hen wrach yna wedi rhoi stop ar hynny. Dydy cymdeithas ddim yn edrych ar ôl y rhai anffodus bellach. Rhaid i bob cath strae a mam ddibriod ymladd eu ffordd yn y byd. Does neb yn barod i'n helpu ni - y rhai tlawd, y rhai unig.

TRAFOD

Trafodwch yr ymson. Ydy'r awdur wedi llwyddo i fynd mewn i feddwl y cymeriad yn dda? Beth yw'r pethau gorau yn yr ymson yn eich barn chi?
Ydy e'n defnyddio geiriau ac ymadroddion allan o'r stori yn effeithiol? Nodwch lle mae e'n gwneud hyn.

DARLLEN

Darllenwch *Angharad* gan Mair Wynn Hughes.

Ymson yn seiliedig ar *Angharad*

gan Menna Jones

Ddaw cwsg ddim heno. Mae fy llygaid yn gwrthod cau. Yn lle cwsg daw atgofion hunllefus i mi - wyneb tyner Stifyn yn llenwi fy meddwl wrth i mi ail-fyw'r drasiedi o'i golli. Teimlo cyflymdra'r beic modur yn saethu lawr y ffordd - ac yna'r heddlu, y car, y gwaed coch yn diferu'n araf i'r palmant. Gweld Stifyn yn llonydd a'i lygaid yn syllu'n ddall. Stifyn, a'i gorff oedd mor gynnes yn oer fel clai a'i ddwylo fu unwaith yn gafael yn dyner amdana i, yn llonydd am byth.

Wrth orwedd yn fy ngwely a golau'r lleuad yn llifo i'r stafell sylwaf am y tro cynta mor debyg i siaced ledr Stifyn y mae fy hen got denim sy'n hongian yn llipa ar gefn y gadair yng nghornel y stafell. Rwy'n cofio'r tro cynta i mi ei gwisgo hi yn y dafarn - a chofio Stifyn yn estyn ei fraich gyhyrog yn gariadus amdana i. Fe deimlais wefr, teimlais mor falch mai fi a ddewisodd allan o'r holl ferched yn y dafarn. Teimlwn mor arbennig o bwysig. Roedd e'n arfer dod a gyrru ei feic modur nôl a mlaen, nôl a mlaen ar hyd y stryd y tu allan i'r tŷ. Ddaw e ddim eto, ond mae e yma er hynny, rwy'n gweld ei wallt melyn yng ngolau melyn y lleuad sy nawr yn llifo drwy'r llenni tenau i oleuo'r stafell.

Wrth i mi godi ar fy eistedd yn y gwely rwy'n gweld ei wyneb gwelw yn syllu arna i o'r llun yn y ffrâm ar y bwrdd gwisgo. Pam wyt ti'n edrych arna i fel yna? Sut alli di edrych a gwenu arna i ar ôl yr hyn wnes i i ti? Wyt ti ddim yn deall, Stifyn? Fi wnaeth dy ladd di. Fi! Ie. Fi! Pe bawn i ddim wedi cweryla â 'Nhad a Mam, pe bawn i wedi bod yn llai hysteraidd, pe bawn i heb ddweud wrthot ti am fynd yn gynt, fyddet ti ddim wedi marw.

Fe gerddais i heibio i Dafarn y Cei heddiw a chlywed chwerthin a gweiddi'r beicwyr yn cael hwyl, ond allwn i ddim mynd mewn. Fe es i lawr i'r traeth wedyn i'r sied fach ond fedrwn i ddim mynd mewn. Ond wrth gerdded heddiw roeddwn i'n falch 'mod i wedi dy adnabod di. Ti roddodd y blas cyntaf i mi o fywyd go iawn. Ti ddaeth a thorri ar ddiflastod undonog fy arddegau.

Roedd Dad a Mam yn fy nhrin i fel plentyn, ond roeddet ti'n fy nhrin i fel gwraig. Rwy'n gwenu nawr wrth feddwl sut y bu i ferch dawel y teulu parchus oedd mor neis, neis droi dros nos i fod yn un o griw'r beicwyr gwyllt. Mor anniddorol oedd fy mywyd - ymlwybro lawr i'r caffi bach, eistedd wrth y bwrdd sigledig, nôl yr un hen banaid coffi gwyn-heb-siwgr o'r cownter, syllu allan drwy'r ffenest ar y byd llwyd, siarad am yr un hen hanesion, a bywyd yn garchar diflas heb wefr na sialens o gwbl. Mae'n rhyfedd mor barchus oeddwn i - disgo gyda Hywel a Janet!

Rwy'n teimlo'n ddig wrth feddwl bod fy rhieni wedi bod mor od. Amau. Drwgdybio. Rhybuddio. Ceryddu. Roedden nhw'n methu cael i mewn i'w pennau bach gwirion mai gyda ti'n unig roeddwn i'n hapus. Doedden nhw ddim yn fy nhrystio i, a minnau'n ddeunaw oed. Roedden nhw'n fy nhrin i fel plentyn bach. Arnyn nhw mae'r bai! Ie, arnyn nhw mae'r bai yn gwrthod derbyn 'mod i wedi peidio â bod yn ferch fach neis. Nhw oedd yn methu derbyn y ffaith nad eu merch fach ufudd, oedd yn mynd i'r capel yn ei ffrog fach binc flodeuog bob prynhawn Sul, oeddwn i bellach - ond person aeddfed oedd eisiau byw. *"Gaf i fynd allan?" "Na." "Gaf i brynu dillad newydd?" "Na." "Gaf i fyw fel rydw i eisiau?" "Na."* Wnaethon nhw ddim sylweddoli bod y byd wedi newid. Ie, fy rhieni sy ar fai am bopeth!

Maen nhw siŵr o fod yn falch o gael gwared ar y dyn ifanc oedd yn ddylanwad drwg ar eu merch. Does dim rhaid iddyn nhw deimlo cywilydd ymysg eu blydi ffrindiau parchus fod eu merch yn cymdeithasu gyda beicwyr amharchus, drwg. Maen nhw wedi cael eu merch fach neis nôl yn ddiogel o grafangau drwg y diafol. Mae Mam yn dweud bod rhaid i mi geisio ailgychwyn byw ac eisiau i mi fynd allan gyda Janet a Hywel eto. Sut allwn i oddef eu cwmni nhw ar ôl cwmni cynhyrfus Stifyn?

* * * * *

Beth yw'r sŵn crafu y tu allan i'r drws. Fe â i i'w agor. Jaff! Tyrd i mewn Jaff bach. Fe gei di gysgu yn fy stafell i. Jaff - ci Stifyn. Rwy'n ei glywed yn anadlu wrth ochr y gwely y funud yma. Wrth roi fy llaw i lawr a rhwbio'i ben mae'n llyfu fy llaw'n dyner. Rwy'n falch iawn fod mam Stifyn wedi dod â'r ci yma heddiw. Wnes i ddim dangos, ond ar y pryd roeddwn i'n ddig wrthi am ddod yma ac am ailagor y briw. Roeddwn i eisiau sgrechian arni fynd â Jaff a rhoi llonydd i mi.

Ond rwy'n falch nawr iddi ddod â Jaff yma. Roedd mam Stifyn yn edrych mor hen. Mae marwolaeth Stifyn wedi bod yn golled iddi hi hefyd. Druan â hi! Rhaid i mi a Jaff alw heibio i'w gweld yfory. Wrth ei gweld hi a Mam yn siarad sylwais ar wyneb Mam hefyd - roedd hi'n wyn fel sialc ac roedd pyllau duon o dan ei llygaid. Mae Mam wedi torri. Sylwais i ddim tan heddiw fod ei cheg hi wedi mynd ar dro. Fe fyddai gwên bob amser ar wyneb Mam pan oeddwn i'n fach. A Dad. Roedd Dad yn arfer sefyll mor syth a cherdded mor urddasol, ond heddiw wrth iddo hebrwng mam Stifyn i'r drws sylwais fod ei gefn wedi crymu a'i fod yn cerdded fel hen ŵr. Druan â nhw. Na, nid nhw oedd ar fai. Maen nhw wedi dioddef cymaint â fi.

Rhaid i fi wneud ymdrech yfory i fod yn llawen er eu mwyn nhw. Fe godaf i a Jaff yn gynnar yfory a mynd i brynu rhyw anrheg fach iddyn nhw. Well i mi gysgu nawr.

YMARFER

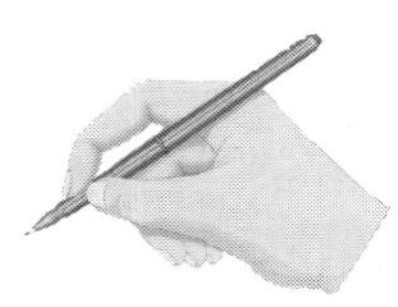

Wrth lunio ymson rhaid mynd mewn i feddwl y cymeriad a mynegi ei deimladau a'i syniadau. Un ffordd o wneud hyn yw cofio digwyddiad/cymeriad arbennig. Dyna a wneir ym mharagraff cyntaf *Ymson Angharad*:

Ddaw cwsg ddim heno. Mae fy llygaid fel pe'n gwrthod cau. Yn lle cwsg daw atgofion hunllefus i mi - wyneb tyner Stifyn yn llenwi fy meddwl wrth i mi ail-fyw'r drasiedi o'i golli. Teimlo cyflymdra'r beic modur yn saethu lawr y ffordd - ac yna'r heddlu, y car, y gwaed coch yn diferu'n araf i'r palmant. Gweld Stifyn yn llonydd a'i lygaid yn syllu'n ddall. Stifyn, a'i gorff oedd mor gynnes yn oer fel clai a'i ddwylo fu unwaith yn gafael yn dyner amdana i, yn llonydd am byth.

- Gwnewch baragraff lle mae'r person yn cofio digwyddiad oedd wedi cael effaith arno ac yn mynegi ei deimladau a'i feddyliau am y digwyddiad a'r bobl oedd yno. Gallwch fynegi unrhyw deimlad - casineb, euogrwydd, cydymdeimlad, hiraeth ac ati. Dyma rai syniadau:

  Merch/bachgen yn teimlo'n chwerw ar ôl colli cariad. /Dyn cyfoethog yn mynd nôl i'w hen ardal dlawd i weld ei deulu ac yn teimlo'n euog ei fod heb eu helpu.

Sylwch fel mae *Ymson Angharad* yn creu naws y lleoliad drwy ddisgrifio rhai pethau yn yr amgylchedd a'u defnyddio fel man cychwyn i'r atgofion a'r teimladau.

Wrth i mi godi ar fy eistedd yn y gwely rwy'n gweld ei wyneb gwelw yn syllu arna i o'r llun yn y ffrâm ar y bwrdd gwisgo. Pam wyt ti'n edrych arna i fel yna? Sut alli di edrych a gwenu arna i ar ôl yr hyn wnes i i ti? Wyt ti ddim yn deall, Stifyn? Fi wnaeth dy ladd di. Fi! Ie. Fi! Pe bawn i ddim wedi cweryla mor blentynnaidd â 'Nhad a Mam, pe bawn i wedi bod yn llai hysteraidd, pe bawn i heb ddweud wrthot ti am fynd yn gynt, fyddet ti ddim wedi marw.

- Gan adeiladu ar y paragraffau rydych chi eisoes wedi eu creu - rhowch ddisgrifiadau o'r cefndir neu'r lleoliad:
  Y bachgen/ferch a gollodd gariad yn cerdded y llwybr roedden nhw'n arfer ei gerdded.
  Y dyn cyfoethog yn ei gartref moethus yn cofio'r tlodi.
  Cofiwch mai dim ond disgrifiad byr o leoliad sy eisiau i greu naws. Dylai gweddill y paragraff fod yn atgofion sy'n cyd-fynd neu'n gwrthgyferbynnu gyda'r lleoliad.

Mae datblygiad yn hollbwysig mewn ymson. Sylwch ar y modd mae casineb Angharad wedi newid yn gariad ac yn gydymdeimlad yn y paragraffau yma.

Rwy'n teimlo'n ddig wrth feddwl bod fy rhieni wedi bod mor od... Arnyn nhw mae'r bai... Druan â nhw. Na, Nid nhw oedd ar fai. Maen nhw wedi dioddef cymaint â fi. Rhaid i fi wneud ymdrech yfory i fod yn llawen er eu mwyn nhw. Fe goda i a Jaff yn gynnar yfory a mynd i brynu rhyw anrheg fach iddyn nhw. Well i mi gysgu nawr.

- Gan ddefnyddio'r ymson rydych chi eisoes wedi'i chreu ychwanegwch ati gan sicrhau newid yn yr emosiwn/agwedd er mwyn creu gwrthgyferbyniad.

SUT I YSGRIFENNU YMSON

- Ysgrifennwch yn y person cyntaf - y person ei hun sy'n dweud ei deimladau a'i feddyliau:
  Dyna amser caled gefais i heddiw. Rwy wedi cael llond bol ar yr ysgol.

- Os ydych yn addasu rhan o nofel neu stori yn ymson, dewiswch ran ddiddorol a dramatig o fywyd y cymeriad er mwyn ei wneud yn ddiddorol i'w ddarllen. Peidiwch â dweud hanes y cymeriad i gyd, dewiswch y pethau diddorol yn unig.

- Rhaid i bob cymeriad siarad mewn ffordd arbennig e.e. ymadroddion sy'n nodweddiadol ohono a hefyd agweddau a syniadau arbennig.

- Dangoswch deimladau'r cymeriad yn yr ymson - ei deimladau at ei deulu, ffrindau, gwaith, a'i sefyllfa bresennol. Mae teimladau - siom, casineb, cariad, eiddigedd, uchelgais, israddoldeb, balchder - yn bwysig.

- Bydd y rhan fwyaf o'r ymson yn edrych nôl neu'n myfyrio ar sefyllfa bresennol, ond cofiwch edrych mlaen hefyd - datgelu gobeithion a dyheadau'r cymeriad.

- Ceisiwch roi ychydig o naws y stafell neu'r lle sy'n gefndir i'r ymson i roi elfen o realiti.

- Ysgrifennwch mewn paragraffau.

- **PWYSIG** - Defnyddiwch eich dychymyg i fynd i mewn i feddwl eich cymeriad.

DARLLEN AC YMARFER

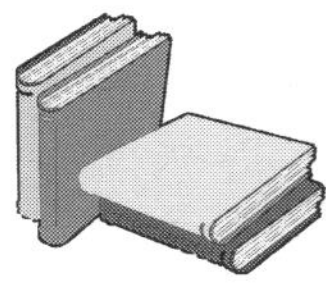

◆ Ysgrifennwch ymson yn seiliedig ar dudalennau 93-96 o *Y Llyffant* gan Ray Evans. (Y disgrifiad o deimladau'r plentyn ynglŷn â lladd y mochyn.)

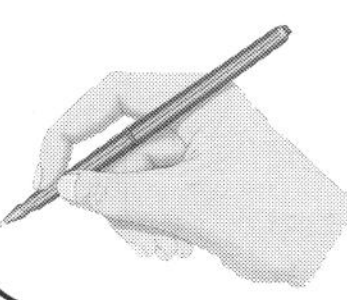

◆ Ysgrifennwch ymson yn seiliedig ar *Pwy sy'n Euog?* gan Joan Lingard gan greu ymson Josie pan mae hi yn y carchar.

LLYTHYR PERSONOL

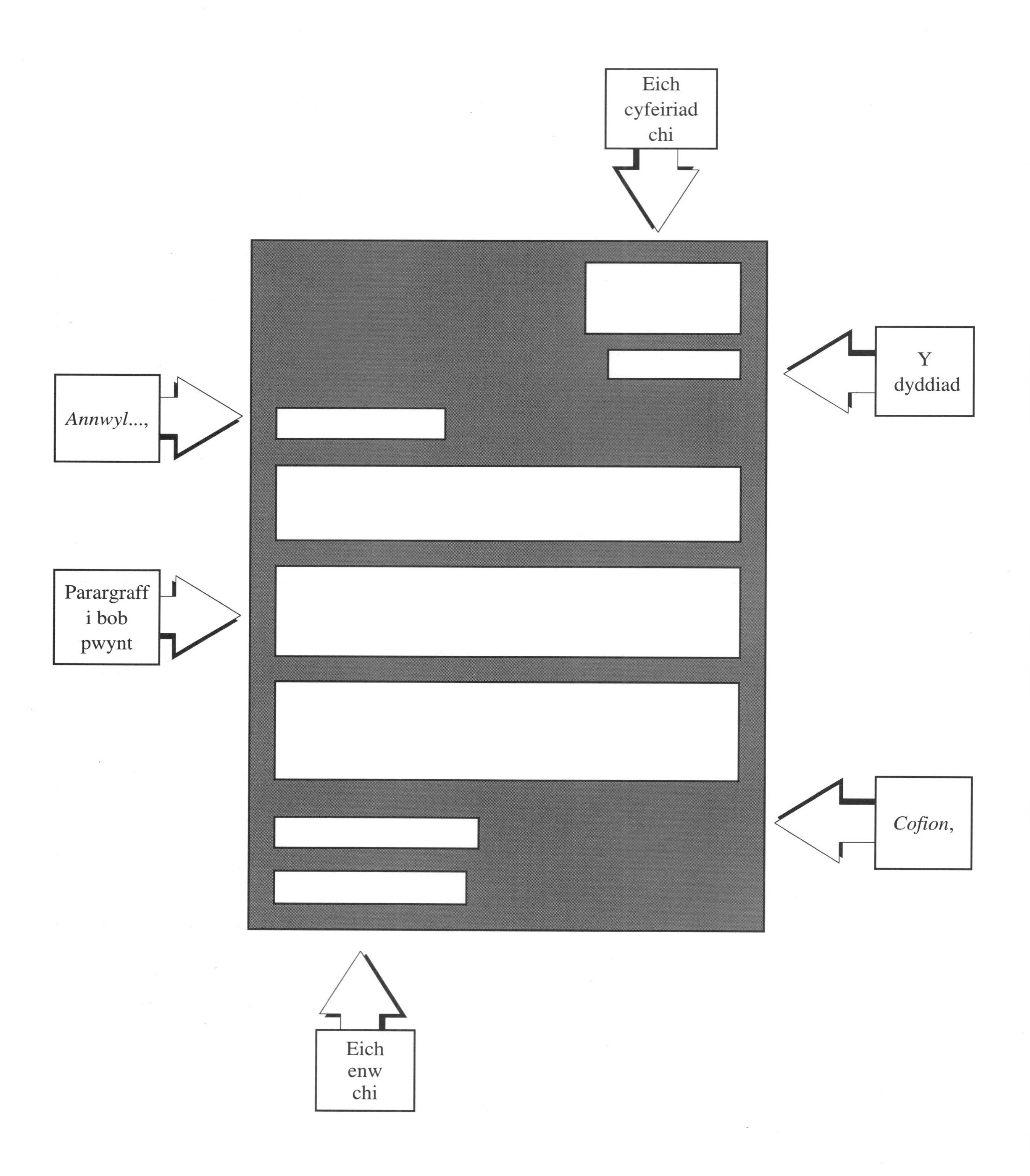

Gwersyll Gwyliau Hapus,
Cwm Hyfryd,
Ceredigion.
23 Awst 1998

Annwyl Glesni,

Dyma fi wedi cyrraedd y Gwersyll. Fe fyddet ti wrth dy fodd fan hyn - mae digon o fechgyn golygus o bob gwlad dan haul yma!
Y newyddion da i ddechrau! Rwy wedi cwrdd â bachgen o'r Eidal o'r enw Benito. Mae fy hen gariad Dafydd fel llipryn llwyd o'i gymharu â Benito sy'n gawr cyhyrog. Rydyn ni'n mynd i bob man gyda'n gilydd - law-yn-llaw wrth gwrs! Mae e'n rhamantus iawn ac yn prynu bwyd a diod i mi drwy'r amser. Beth ddywedai Mam petai hi'n gwybod?
Fe fuon ni'n dau yn torheulo ar y traeth drwy'r dydd ddoe. Fe ges i liw haul. Dyma'r bywyd - dim llyfrau, dim arholiadau, dim ond 'neud dim drwy'r dydd.
Nawr, y newyddion drwg! Fe gwympais i wrth ddod nôl yn hwyr neithiwr ac rwy wedi torri 'nghoes sy mewn plastar. Fydda i'n methu mynd i unman am weddill y gwyliau! Ond rwy'n llwyddo i gael tipyn o hwyl er gwaetha'r plastar. Sut yn y byd ydw i'n mynd i esbonio i Mam? Bydd rhaid i mi feddwl am ryw esgus cyn dod adre.
Sut aeth pethau yn yr arholiadau? Rwy'n siŵr dy fod ti wedi llwyddo ymhob pwnc ac y byddi di'n mynd mlaen i fod yn feddyg pwysig. Sut mae hwyl Dad? - ddim yn dal i achwyn fod ei blant yn gwario gormod gobeithio! Rwy wedi prynu anrheg i bawb, ond mae gen i rywbeth arbennig i ti!

Dy chwaer ddrwg,

Llio

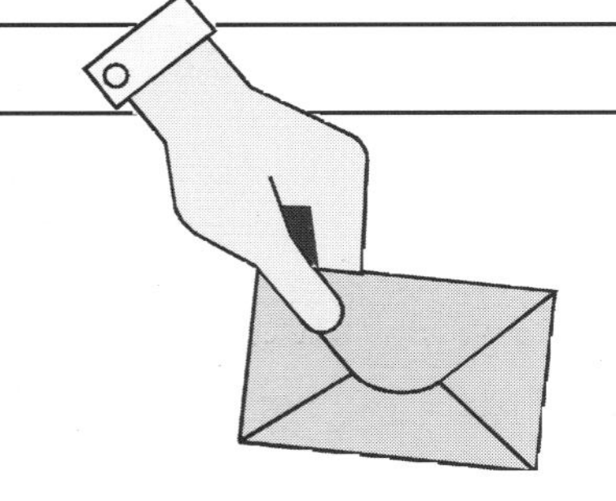

Gwersyll Gwyliau Hapus,
Cwm Hyfryd,
Ceredigion.
23 Awst 1998

Annwyl Mam,

Dyma fi wedi cyrraedd y Gwersyll. Mae mewn cwm prydferth ac mae pob math o gyfleusterau yma - llethr sgïo, merlota, beiciau modur, pwll nofio.
Rwy wedi cwrdd â merch o dde Cymru - rydyn ni'n mynd i bob man gyda'n gilydd. Mae hi'n gwmni da ac rwy'n lwcus i gael cwmni diddorol.
Fe fuon ni'n dwy yn y dre ddoe yn siopa ac yn gweld yr Amgueddfa. Roedd yr Amgueddfa yn ddiddorol iawn - fe gymrodd dair awr i ni fynd o gwmpas.
Yfory, fe fyddwn ni'n mynd i weld drama yn y theatr awyr agored yn y dre. Gobeithio bydd y tywydd yn dal yn sych.
Sut ydych chi i gyd? Rwy'n meddwl llawer am Glesni druan yn gorfod gweithio'n galed ar gyfer yr arholiadau. Cofiwch roi bwyd i'r pysgodyn aur bob dydd - heb anghofio mynd â Gelert am dro yn y parc! Wel, mae'n naw o'r gloch ac rwy'n mynd i'r gwely nawr - wedi blino'n lân.

Cofion atoch chi i gyd,

A sws fawr i Mam-gu,

Llio

SUT I YSGRIFENNU LLYTHYR PERSONOL

Cynnwys

Yn aml fe ddatgelir profiadau, meddyliau a theimladau mewn llythyr personol na fyddai neb yn eu dweud yn gyhoeddus, yn arbennig wrth ysgrifennu at rywun sy'n agos atoch chi.

Adeiladwaith

Rhaid dilyn confensiwn y llythyr sef:
Rhoi eich cyfeiriad chi ar frig y dudalen ar y dde gan ddefnyddio priflythrennau a rhoi'r dyddiad.

Gwersyll Gwyliau Hapus,
Cwm Hyfryd,
Ceredigion.
23 Awst 1998

Wedyn cyferchir yr un rydych chi'n ysgrifennu ato/ati ar ochr dde'r dudalen.

Annwyl Glesni,
Dyma fi wedi cyrraedd y Gwersyll.

Arddull

Gall arddull llythyr personol fod yn llai ffurfiol:
*dim ond **'neud** dim drwy'r dydd.*

Mae holl naws y llythyr yn bersonol ac agos-atoch a gellir gorffen y llythyr yn anffurfiol:
Cofion, *Hwyl!* *Paid â bod yn ddrwg!* *Llawer o gariad,*

DARLLEN

Darllenwch yr enghreifftiau o lythyron personol a geir yn:
Canllaw i Greu (Ehangu Gorwelion)
Torri Gair gan Euros Jones Evans

YMARFER

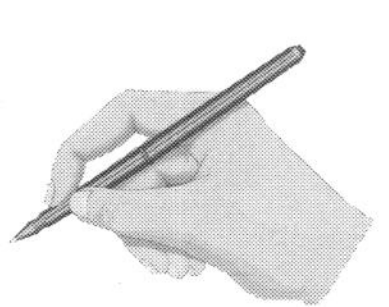

Ysgrifennwch ddau lythyr personol ond gyda naws wahanol ym mhob un:

- Llythyr at eich ffrind gorau cyn ac wedi iddo/iddi wneud tro gwael â chi.
- Llythyr at eich cariad cyn ac wedi iddo/iddi eich gadael chi.
- Llythyr at eich mam-gu cyn ac wedi iddi gael salwch difrifol.

PORTREAD

DISGRIFAID CORFFOROL

Rhaid disgrifio wyneb person yn fanwl er mwyn creu darlun ohono.
Cyfrinach disgrifio da yw defnyddio ansoddeiriau. Dyma rai syniadau i chi:

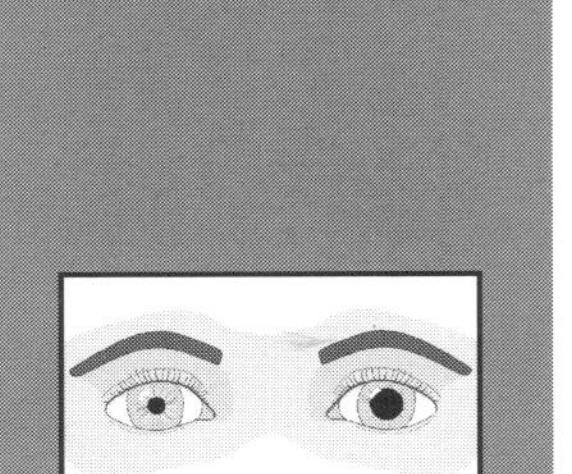

LLYGAID
gwydraidd, pŵl, oer, llym, cellweirus, sarffaidd, addolgar
diniwed, llwynogaidd, masgaredig, mesmereiddiol

GWALLT
brith, dim-ots-sut, llipa, pigog, blêr, seimllyd, cringoch, melfedaidd, hirllaes

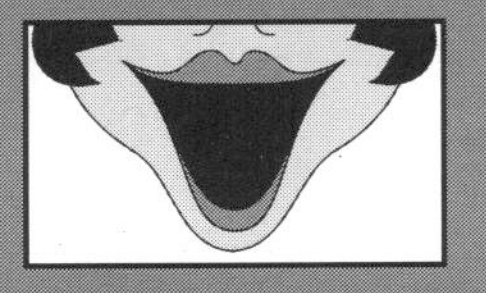

GWEFUSAU
cusanadwy, meddal, cul, tenau, di-waed, llaith, rwber

TRWYN
hirgul, main, cochliw, cam, smwt, pigog

LLAIS
siwgraidd, cras, gwichlyd, peraidd, cwynfanllyd, ymbilgar
undonog, byddarol, melfedaidd, siarp, tyner

MWSTAS
melynfrwnt, cyrn buwch, llipa, brwsh dannedd, brwsh llawr

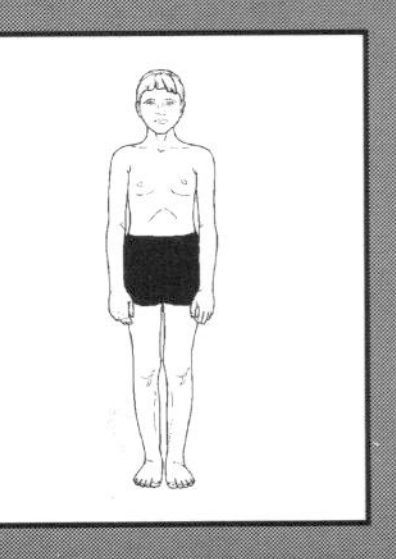

CORFF
bolgrwn, bolfeddal, boldew
gwargam, cefngrwm, talsyth, cwmanog
coesau *hirfain, esgyrnog, siapus, lluniaidd, cyhyrog, coes bwrdd, coes robin*
dwylo *cnotiog, garw, gorddaidd, corniog, llipa, aflonydd, meddal*
bysedd *hirfain, modrwyog, ewinbinc, esgyrnog, pwt, byrdew*

fel....

CYFFELYBIAETHAU
Mae cyffelybiaethau yn ffordd dda o greu darlun byw. Dyma enghreifftiau:
Llais gwichlyd *fel drws rhydlyd yn agor.*
Dwylo gwyn gwythiennog *fel darn o gaws Stilton.*
Wyneb gwridog *fel afal aeddfed.*
Gwallt llipa *fel gwymon ar graig.*
Gwallt byr *fel blew ar gneuen goco.*
Llygaid miniog *fel dau lafn siswrn.*
Llygaid oer *fel peli gwydr.*

DILLAD

Gall dillad rhywun fod yn allwedd i'w bersonoliaeth.
Y dewis o ddillad - jîns neu drowsus llydan-waelod?
Dillad drud neu rad? - *Harrods* neu *Oxfam*?
Lliwiau'r dillad - llachar neu lwyd neu gyffredin?

FFORDD O GERDDED/OSGO

Sut mae rhywun yn sefyll, symud, cerdded?
Diog? Llipa? Gosgeiddig?
Athletaidd?
Welwch-chi-fi? Cefngrwm?
Syth? Anystwyth?
Aflonydd? Hamddenol?

CEFNDIR

Gall cartref neu stafell neu amgylchedd rhywun ddweud llawer wrthoch chi am y cymeriad.
Cymen? Anniben?
Glân? Brwnt?
Cysurus? Sgleiniog? Popeth-yn-ei-le?
Lluniau ar y wal? Calendr llynedd ar y wal?

GWEITHREDOEDD

Mae gweithredoedd rhywun yn dweud llawer amdano - yr hyn mae'n ei wneud neu ddim yn ei wneud.
Caredig? Cas? Cymwynasgar? Hunanol?
Gweithgar? Diog? Obsesiynol? Hamddenol?
Arferion gwael? Arferion da?
Cymdeithasu? Cadw iddo'i hunan?

YMARFER

Ysgrifennwch bortread o bedwar paragraff o gymeriad rydych chi'n ei adnabod:

- Y paragraff cyntaf yn disgrifio'i wyneb.
- Yr ail baragraff yn disgrifio'i gorff, dillad, osgo, cerddediad.
- Y trydydd paragraff yn disgrifio'i gefndir - ei stafell a'i dŷ.
- Y pedwerydd paragraff yn disgrifio'i weithredoedd.
- Rhowch ddyfyniad (yng ngeiriau'r cymeriad) o rywbeth a ddywedodd.

Portread

MRS LEWIS Y BWTSIWR

gan Glesni Lewis

Paragraff cyffredinol

Mrs Lewis y Bwtsiwr yw hi i drigolion pentre glan-môr Llan-non - Eluned yw hi i'w ffrindiau, ond mam-gu sy'n byw drws nesa yw hi i mi.

Darlun nodweddiadol

Dydy mam-gu ddim y person mwya hawdd yn y byd i gytuno â hi, a dweud y gwir hi yw'r person mwya anodd rwy erioed wedi'i chwrdd. Mae hi'n eistedd ddydd ar ôl dydd yn niogelwch ei chadair esmwyth glyd wrth ymyl y ffenest sgleiniog fel brenhines yn gwylio'r byd tu allan yn prysuro heibio. Yn llonydd fel delw gan oedi rhag codi o'i gorsedd rhag ofn iddi golli rhyw ddigwyddiad neu helynt yn y stryd y tu allan. Does dim angen mudiadau megis *Neighbourhood Watch* pan mae gennych chi gymdogion busneslyd fel mam-gu yn byw yn y pentre.

Llygaid

Mae llygaid gweld-popeth-sy'n-digwydd gan mam-gu. Mae'r llygaid wedi'u cuddio o dan wydr trwchus sbectol well-na'i-gilydd, ac mae ffrâm y sbectol lawen, liwgar yn gorwedd yn gyfforddus ar ei thrwyn pigog, busneslyd sy'n edrych fel pig aderyn.

Wyneb

Mae ganddi wyneb yn union fel lleuad lawn sy'n goleuo'r tywyllwch. Does dim diwrnod yn mynd heibio heb iddi wneud ei seremoni feunyddiol o roi mwgwd o golur ar ei hwyneb. Dydw i ddim yn cofio gweld mam-gu heb ei mwgwd trwchus o golur erioed. Y peth cyntaf ar ôl iddi molchi yn y bore mae hi'n mynd ati'n ddyfal i geisio ail-greu ei hieuenctid drwy goluro ei hwyneb. Yn gyntaf, mae'n rhoi trwch o hufen *Ponds* ar ei chroen rhychiog sy erbyn hyn yn edrych fel hen afal sych, crebachlyd. Yna, mae'n tynnu powdwr Rhif 17 o'i bag colur glas, patrymog, ac yn ei blastro ar ei hwyneb yn hael. Wedyn, i orffen, bydd ei dwylo gwyn, gwythiennog fel darn o gaws Stilton yn crynu wrth iddi roi minlliw llachar mor goch â golau traffig ar ei gwefusau tenau, di-waed. Mae edrych yn ddeniadol yn hollbwysig i mam-gu.

Gwallt

Gan gadw at amserlen ddigyfnewid ei hwythnos mae mam-gu'n mynd ar y bws bob bore dydd Gwener yn rheolaidd. Cyn iddi fynd i'r dre bydd mam-gu wedi mynd drwy seremoni arall wythnosol - sef trin ei gwallt. Mae ganddi wallt cwta, gwyn fel yr eira sy'n glynu'n glòs i'w phen a pherm ynddo i greu tonnau ysgafn fel tonnau mewn to sinc.

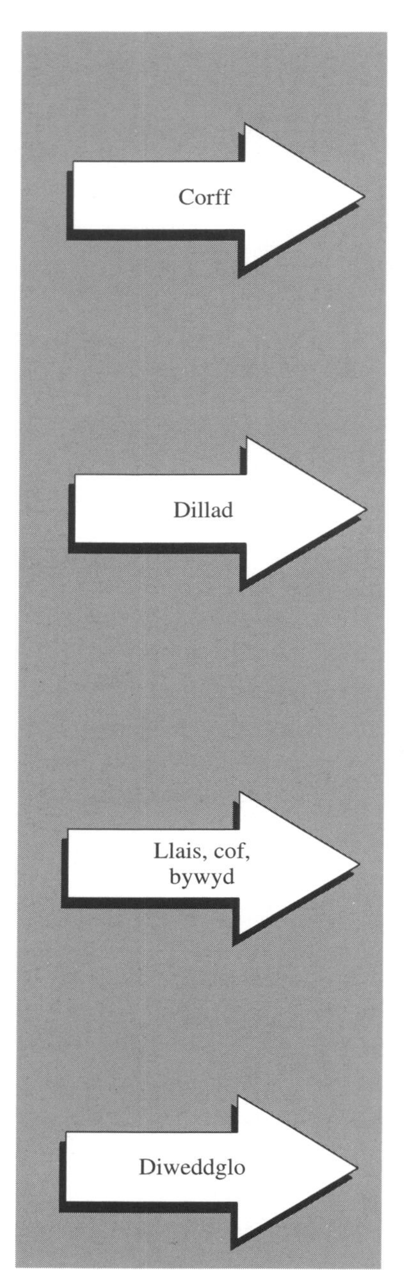

Menyw gron yw mam-gu sy'n fy atgoffa o falŵn efo gormod o wynt tu fewn iddo sy bron â ffrwydro unrhyw foment. Mae ei choesau byrdew yn tyfu allan o'i chorff bolgrwn fel dau foncyff coeden fawr. Mae ei breichiau bychan yn glynu wrth ei chorff gan wneud iddi edrych fel tedi bêr twt. Pan fydd hi'n mentro codi o'i heistedd bydd ei chorff yn ysgwyd fel jeli - ond mae hynny i'w ddisgwyl - wedi'r cwbwl mae mam-gu dros ei phedwar ugain mlwydd oed!

Mae edrych yn ddeniadol yn hollbwysig i mam-gu. Rhaid iddi wisgo'n urddasol bob amser mewn dillad drud. Rydw i wedi colli cyfrif o sawl gwaith y clywais bobl y pentre yn sôn amdani - *Menyw smart. Dyna wisg neis, Luned. Ble gaethoch chi'r clust-dlyse 'na?* - dyna rai o'r sylwadau cyson amrywiol. Gwisgo'n ffansi a galifantio yw hoff ddiddordebau mam-gu - yn union fel plentyn bach diniwed.

Llais tawel sydd gan mam-gu fel arfer, ond mae'r llais yma'n newid (yn union fel ei chymeriad) yn ôl sefyllfaoedd arbennig. Llais siarp fel gwydr toredig sy ganddi pan mae hi mewn tymer. Mae ei chof yn berffaith wrth iddi gofio nôl i ddyddiau ffôl ei phlentyndod - yr hen ardal lle'r oedd hi'n enedigol sef Ystrad Mynach yn Ne Cymru; ei swydd gyntaf fel ysgrifenyddes mewn swyddfa; symud i ardal wledig yng ngorllewin Cymru; ffermio gyda'i theulu ym Methania; cwrdd â fy nhadcu yng Nghross Inn a'i briodi; agor siop gigydd yn Llan-non; genedigaeth ei phlant Eddie, Kerry a Leslie; y boen o golli plentyn ar enedigaeth. Atgofion chwerw a melys mam-gu.

Gan ei bod wedi byw drws nesa i mi erioed, fedraf i ddim meddwl am fywyd hebddi. Mam-gu, yn ei chadair esmwyth yn cnoi'i hewinedd, ac yn eistedd wrth y ffenest yn busnesu yn nigwyddiadau'r pentref. Mam-gu.

TRAFOD

Trafodwch y portread uchod.
Beth yw agwedd y plentyn at ei mam-gu?
Ydy'r agwedd yn effeithio ar y portread?
Beth yw'r pethau gorau yn y portread?

DARLLEN

Chwiliwch am bortreadau mewn nofelau, cylchgronau a phapurau bro.

- Gwnewch ddetholiad o'r disgrifiadau roeddech chi'n eu hoffi.
- Dadansoddwch y portreadau ac astudio adeiladwaith y portread. Faint o le roddir i ddisgrifio wyneb, corff, dillad, amgylchedd, gweithredoedd, ffordd o siarad y cymeriad?

SUT I YSGRIFENNU PORTREAD

Y Cam Cyntaf - Dewis Cymeriad

- Mae'n beth doeth dewis rhywun sy'n wahanol er mwyn cael portread diddorol neu rywun sy'n adnabyddus am ei fod wedi gwneud llawer o bethau diddorol.

Yr Ail Gam - Ymchwilio a Chyfweld

- Siaradwch â phobl sy'n adnabod y cymeriad yn dda er mwyn gwybod beth i'w holi iddo/iddi. Cyn holi'r cymeriad gwnewch restr o gwestiynau rydych chi am eu gofyn.
- Gwnewch nodiadau manwl o'r cyfweliad ac os yw'n bosibl recordio'r cyfweliad ar dâp.
- Sylwch yn fanwl ar wyneb, corff a ffordd o siarad y cymeriad.
- Sylwch ar y stafell a'r tŷ gan fod amgylchedd rhywun yn aml yn dweud llawer amdano.

Y Trydydd Cam - Dethol

- Rhaid dethol y deunydd a defnyddio'r elfennau diddorol yn unig yn y portread.

Y Pedwerydd Cam - Adeiladwaith a Chynllun.

- Gwnewch gynllun o'ch portread.
- Ysgrifennwch baragraff ar y tro gan roi un agwedd o'r cymeriad ymhob paragraff.

Y Pumed Cam - Arddull

- Defnyddiwch ***ansoddeiriau*** er mwyn creu disgrifiad corfforol o'r cymeriad.
  Ceisiwch ddefnyddio ansoddeirau diddorol a gwahanol.
  Mae Geiriadur Ansoddeiriau yn y pecyn *Crefft Ysgrifennu.*
- Ceisiwch ddefnyddio **cyffelybiaethau** oherwydd mae cyffelybiaeth yn creu darlun:
  ei thrwyn pigog, busneslyd sy'n edrych ***fel pig aderyn.***
- Rhowch **un neu ddau ddyfyniad** yn y portread **o eiriau'r cymeriad** sy'n dangos ei ffordd arbennig o siarad.

CYFARWYDDYD SWYDDFA

CYFARWYDDYD SWYDDFA	
Amser: 10.30 a.m.	**Dyddiad:** 26/2/98
Oddi wrth: Meinir Thomas, Ysgrifenyddes	**At:** Dafydd Llwyd, Prif Swyddog
Ynglŷn â: Gwilym Williams, 25 Bro Gwydion, Trefor	

Casglwyr Sbwriel wedi mynd heibio'i dŷ heb gasglu'r sbwriel, ac mae e eisiau i ni ei gasglu heddiw neu yfory. Dyma'r ail wythnos i hyn ddigwydd ac mae'n teimlo'n ddig iawn.

Wedi gadael y sachau sbwriel y tu fewn i'r glwyd rhag ofn y bydd cŵn yn eu rhwygo.

Ateb heddiw cyn diwedd y dydd.

Rif Ffôn: 01348 5672345

SUT I YSGRIFENNU CYFARWYDDYD SWYDDFA

Cynnwys
Rhaid trosglwyddo'r wybodaeth mewn ffordd uniongyrchol a chynnil.

Arddull
Gallwch ddefnyddio nodiadau yn hytrach na brawddegau cyfan.

Gallwch ddefnyddio'r berfenw yn lle'r ferf:
Ateb *heddiw cyn diwedd y dydd.*

Gallwch wneud heb *Mae* neu *Roedd* fel hyn:
Wedi gadael *y sachau sbwriel y tu fewn i'r glwyd rhag ofn y bydd cŵn yn eu rhwygo.*

YMARFER

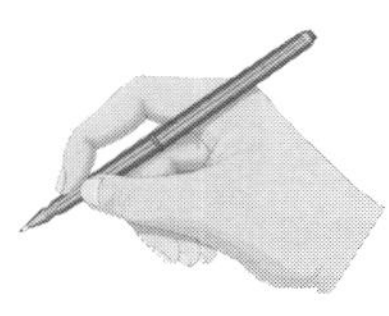

Gwnewch Gyfarwyddyd Swyddfa oddi wrth Ysgrifenyddes yn Swyddfa'r Cyngor at Bennaeth yr Adran Gwasanaethau Cyhoeddus yn trosglwyddo gwybodaeth am alwad ffôn oddi wrth aelod o'r cyhoedd yn achwyn bod un o lorïau'r Cyngor wedi achosi niwed i'w gar a heb stopio. Mae wedi rhoi rhif y lori, yr amser y digwyddodd y ddamwain, enw'r stryd, yn ogystal â'i enw a'i rif ffôn.

GWNEUD RHESTR

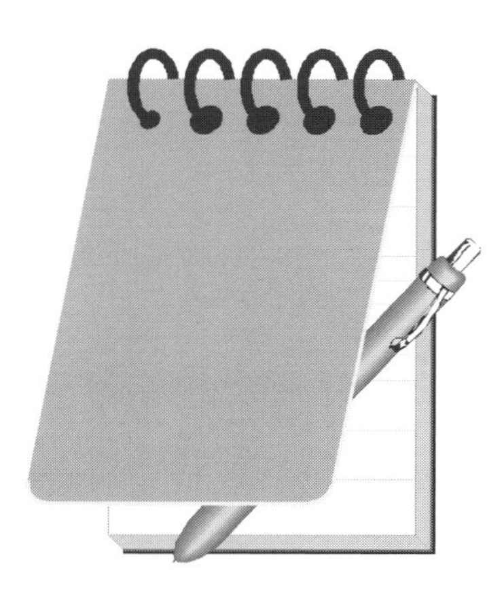

Rhestr Siopa

1. Bara
2. Menyn
3. Caws
4. Te
5. Siwgr
6. Llaeth
7. Cig
8. Afalau
9. Creision
10. Pop

Rhestr o reolau pwysig mewn cymdeithas

1. Peidiwch â gwneud niwed corfforol i neb.
2. Peidiwch â dwyn oddi wrth neb.
3. Peidiwch â dweud celwydd am neb.
4. Parchwch eiddo cyhoeddus.
5. Peidiwch â chael rhagfarn yn erbyn pobl sy'n wahanol i chi.
6. Cadwch eich hunan a'ch cartre'n lân.
7. Cadwch yr amgylchedd yn lân.
8. Cyfrannwch at achosion da.
9. Gwnewch waith gwirfoddol i helpu eraill megis yr henoed.
10. Dangoswch barch at bawb a siaradwch yn gwrtais â phob un.

YMARFER

Gwnewch ddau o'r canlynol:

- Rhestr o'ch hoff fwydydd.
- Rhestr o'r bobl rydych chi'n eu hedmygu.
- Rhestr o'r rheolau pwysicaf yn yr ysgol.
- Rhestr o'r eitemau ffasiwn mwyaf diwerth.
- Rhestr o'r pethau does dim o'u heisiau arnon ni.
- Rhestr o'r pethau rydych chi'n casáu gorfod eu gwneud.

TRAFOD

Trafodwch y rhestrau yma:

- Rhestr o'r pethau sy angen eu newid yn y byd.
- Rhestr o'r ffyrdd gorau o ddiogelu'r amgylchedd.
- Rhestr o'r ffyrdd gorau o atal trais a throseddu.

SUT I YSGRIFENNU RHESTR AC YMARFER

Dewiswch un o'r tri phwnc y buoch yn eu trafod.
Gwnewch restr yn ôl trefn pwysigrwydd o'r ffyrdd gorau
o ddelio â'r broblem dan sylw.

Rhaid i chi ysgrifennu am y tri pheth cyntaf sy ar eich rhestr gan gyfiawnhau ac esbonio pam rydych chi wedi dewis y pwnc yma a pham mae'r rhesymau wedi'u gosod yn y drefn yma.

Dyma enghraifft i'ch helpu:

Dewisais y Rhestr ***Dulliau o Ddiogelu'r Amgylchedd*** *am fy mod i'n credu bod* y pwnc yma'n bwysig i ni heddiw. Yn wir, mae dyfodol y ddynoliaeth a'r blaned yn dibynnu ar ddatrys y broblem yma.

Y peth pwysicaf y mae'n rhaid ei wneud ar unwaith yw perswadio pobl ymhob man yn y byd i ddefnyddio llai ar eu ceir. Rhaid creu dinasoedd sy'n gwahardd ceir yn gyfan gwbl am eu bod yn llygru'r amgylchedd.

Yr ail beth y mae'n rhaid ei wneud yw mynd ati o ddifri i ailgylchu defnyddiau. Dydw i ddim yn credu bod Banc Poteli a Banc Papur yn ddigon. Rhaid ailgylchu'r holl wastraff ac nid dim ond gwydr a phapur.

Y trydydd peth sy'n rhaid ei wneud yw sicrhau bod y dŵr yn ein hafonydd yn lân. Mae hyn yn golygu cael rheolau llym i rwystro cwmnïau mawr rhag arllwys eu cemegion gwenwynig i'r afonydd ac i'r môr.

SUT I ESBONIO A CHYFIAWNHAU EICH RHESTR

- Rhowch baragraff yn esbonio pam rydych chi wedi dewis y pwnc.
- Rhowch baragraff yn esbonio'ch dewis cyntaf.
- Rhowch baragraff yn esbonio'ch ail ddewis.
- Rhowch baragraff yn esbonio'ch trydydd dewis.
- Dyma eiriau a phatrymau i'ch helpu:

Dewisais y pwnc yma... am fy mod i'n credu...
Rwy wedi dewis... oherwydd...
Dyma'r peth pwysicaf... achos...
Yr ail beth pwysig yw...
Y trydydd... yw...
pwysig/hanfodol/rhaid/mater o frys/eisiau/angen

GWNEUD RYSÁIT

BARIAU MARS CREISIONLLYD

Y Cynhwysion

2 lwy fwrdd o driog melyn
1 *Mars* wedi'i dorri'n ddarnau
3 owns o ffrwythau sych
2 lwy fwrdd o gnau
1 llwy bwdin o siwgr mân
8 owns o fisgedi *Rich Tea* wedi'u torri'n fân
4 owns o fargarîn
4 owns o siocled

Y Camau

Rhowch y triog melyn, siwgr mân, margarîn a'r *Mars* mewn sosban.
Toddwch y cymysgedd dros wres isel.
Ychwanegwch y bisgedi, y cnau a'r ffrwythau sych.
Cymysgwch nhw'n dda.
Rhowch nhw mewn tun sgwâr - tua 6 modfedd.
Toddwch y siocled.
Arllwyswch y siocled wedi toddi dros y cymysgedd sy yn y tun.
Gadewch i'r cyfan galedu.
Torrwch yn ddarnau.

SUT I WNEUD CHWARAEWR RYGBI (RHENG FLAEN)

Y Cynhwysion

Pen caled heb ormod rhwng y clustiau
Gwallt byr
Wyneb garw, hyll
Clustiau blodfresychaidd
Gwddf tew fel boncyff coeden
Breichiau cyhyrog
Bola cwrw mawr
Coesau cryf fel ceffyl

Y Camau

Tynnwch yr ymennydd allan o'r pen.
Rhowch y pen caled ar y gwddf sy'n drwchus fel boncyff coeden.
Gludiwch glustiau blodfresychaidd bob ochr i'r pen.
Rhowch y pen a'r gwddf ar y corff sy'n grwn fel casgen gwrw.
Ychwanegwch freichiau a choesau cyhyrog.
Arllwyswch ddigon o gwrw i'r geg ddiddannedd.
Gosodwch mewn tomen o ddynion tebyg nes bod y gwaed yn tasgu.
Rowliwch yn y mwd am awr a hanner.
Golchwch yn y gawod a'i lanw gyda chwrw eto.

SUT I WNEUD RYSÁIT

Defnyddiwch y Gorchmynnol ar ddechrau pob brawddeg:

*Rhow**ch***	*Ychwaneg**wch***	*Cymysg**wch***
*Arllwys**wch***	*Todd**wch***	*Gade**wch***
*Gludi**wch***	*Gosod**wch***	*Tynn**wch***

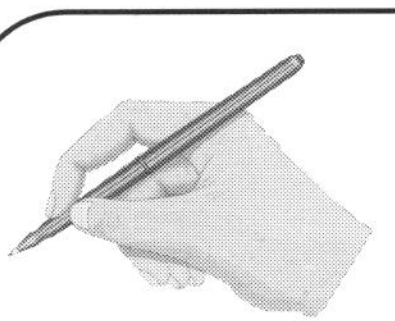

YMARFER

Gwnewch rysáit difrifol neu rysáit digri ar un o'r pynciau yma:

Athro *Model* *Ffrancwr* *Gwleidydd* *Pobol y Cwm*
Parti *Ysgol* *Cinio Ysgol* *Eisteddfod* *Ffair*

CWIS

FEDRWCH CHI ATEB Y CWESTIYNAU YMA?

Beth yw enw Prifddinas Periw?
Pwy yw Prif Weinidog Iwerddon?
Ble mae Tŵr Eiffel?
Pryd mae Dydd Gŵyl Dewi?
Pwy ddyfeisiodd y bwlb trydan?
Pwy yw awdur y nofel *Tân ar y Comin?*
Beth oedd enw'r arlunydd beintiodd y *Mona Lisa?*
P'un o'r rhain oedd yn byw yn Rwsia: Hitler, Mussolini neu Stalin?

SUT I WNEUD CWIS

Defnyddiwch y geiriau yma i'ch helpu i wneud cwestiynau ar gyfer cwis:

Ble mae...?
Pwy oedd...?
Beth yw enw...?
Faint yw...?
Pwy ysgrifennodd...?
Beth oedd...?
Pryd...?
Pam...?
Pryd mae...?
P'un o'r rhain...?

- Y gamp yw llunio cwestiynau sy'n anodd ond heb fod yn rhy anodd.

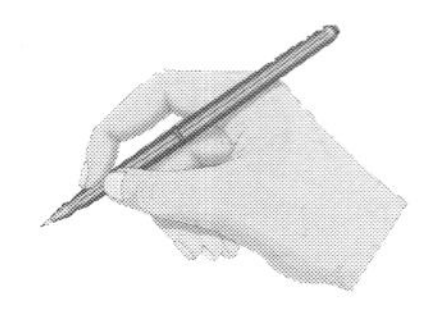

YMARFER

Gwnewch gwis o ddeg cwestiwn i'w holi i'r dosbarth.

GWNEUD AMSERLEN

Un o'r pethau y byddwn yn ei wneud yn aml yw trefnu ein hamser yn ofalus er mwyn gallu gwneud llawer o bethau yn ystod yr un diwrnod.
Er mwyn cofio beth sy angen ei wneud mewn diwrnod gallwn lunio amserlen.

Dyma'r amserlen a ysgrifennodd y priodfab Tomi iddo'i hun ar gyfer diwrnod ei briodas.

AMSERLEN DIWRNOD Y BRIODAS

7.30 a.m. Codi, gwisgo, molchi.

8.00 a.m. Cael brecwast.

8.30 a.m. Ffonio Dafydd, y gwas priodas, i'w atgoffa i ddod â'r fodrwy gydag e.

9.00 a.m. Casglu'r blodau i'w rhoi i Mrs Jones, fy mam yng nghyfraith.

10.00 a.m. Mynd i'r Banc i gael arian mân i'w roi i'r plant fydd yn ceisio stopio'r car, ac arian i dalu am ddiod i bawb yn y wledd briodas.

11.00 a.m. Dylai'r car gyrraedd am un ar ddeg. Galw heibio tŷ Dafydd.

11.30 a.m. Cyrraedd y capel. Cael gair gyda'r Gweinidog am y gwasanaeth.

12.00 a.m. Y briodas.

1.00 p.m. Arwyddo'r Gofrestr Briodasau.

1.15 p.m. Tynnu lluniau tu allan i'r capel.

2.00 p.m. Mynd i'r gwesty. Tynnu rhagor o luniau.

3.00 p.m. Y wledd briodasol. Dweud gair o ddiolch.

5.00 p.m. Mynd nôl i dŷ Siân i gael gorffwys cyn y parti nos.

7.00 p.m. Dal tacsi i'r gwesty i groesawu'r gwesteion i'r parti nos.

YMARFER

Newidiwch ac addaswch yr amserlen i fod yn amserlen y briodasferch.
Darllenwch *Sut i wneud amserlen* yn gyntaf.

SUT I WNEUD AMSERLEN

Prif nodwedd Amserlen yw'n bod ni'n **defnyddio berfenwau yn lle berfau** wrth ysgrifennu:

7.30 a.m. **Codi, gwisgo, molchi.**

8.00 a.m. **Cael** brecwast.

8.30 a.m. **Ffonio** Dafydd...

9.00 a.m. **Casglu**'r blodau...

11.30 a.m. **Cyrraedd** y capel...

1.15 p.m. **Tynnu lluniau** tu allan i'r capel.

2.00 p.m. **Mynd** i'r gwesty.

3.00 p.m. **Dweud gair** o ddiolch.

5.00 p.m. **Mynd** nôl i dŷ Siân...

7.00 p.m. **Dal** tacsi i'r gwesty.

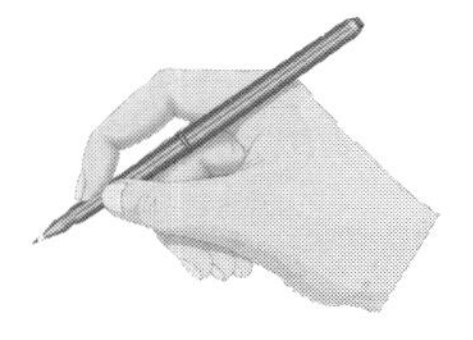

YMARFER

Gwnewch amserlen ar eich cyfer chi'ch hunan:

- Trefnu trip.
- Mynd am ddiwrnod o siopa Nadolig.
- Trefnu parti.
- Trefnu Mabolgampau'r Ysgol.
- Trefnu gêm bêl-droed neu hoci.

TAFLEN WYBODAETH

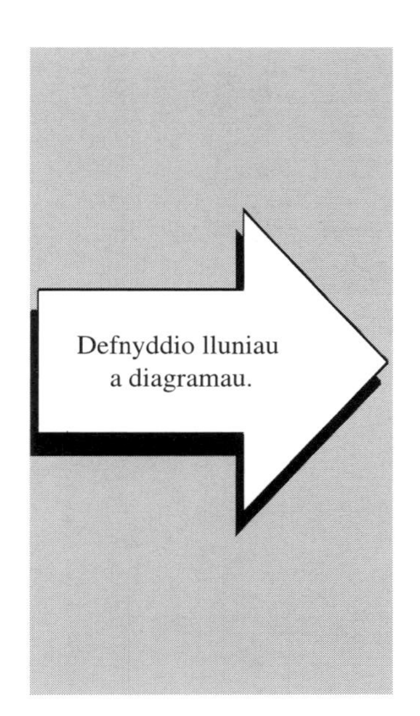

Nawr gallwch arbed 10% ar alwadau i Ffrindiau a Theulu ac mae AM DDIM!

Ofis Ebrill 1996 rydyn ni wedi dyblu'r arbedion ar y pum rhif a ddewiswch wrth i chi wneud cais am *Ffrindiau a Theulu*. Cewch ddisgownt o 10% ar alwadau i'r rhifau deialu uniongyrchol y byddwch yn eu ffonio amlaf, a gallwch ymuno'n rhad ac am ddim.

Dewiswch y 5 rhif (gall un fod yn rhif rhyngwladol ac un yn rhif ffôn symudol) y byddwch yn eu ffonio amlaf. Byddwn yn ychwanegu rhif eich cartref er mwyn i chi arbed 10% wrth ffonio adref gan ddefnyddio'ch BT Chargecard, sy'n rhad ac am ddim.

Er bod yn rhaid i rifau newydd wneud cais am gael ymuno â *Ffrindiau a Theulu*,, does dim raid i'r rhifau presennol wneud dim byd i arbed 10%, mae'n digwydd beth bynnag.

Cynta' i gyd yr ymunwch chi, cynta'n y byd allwch chi ddechrau arbed, a chofiwch fod ymuno'n **RHAD AC AM DDIM**

I ymuno â *Ffrindiau a Theulu* ffoniwch:

Free*fone 0800* **800 288**

Gwanwyn 96 3

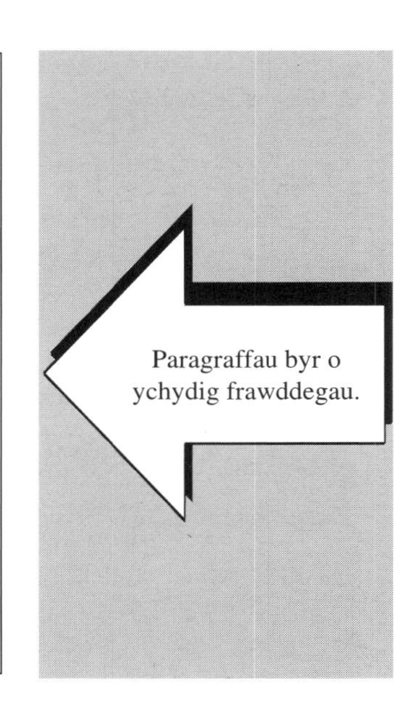

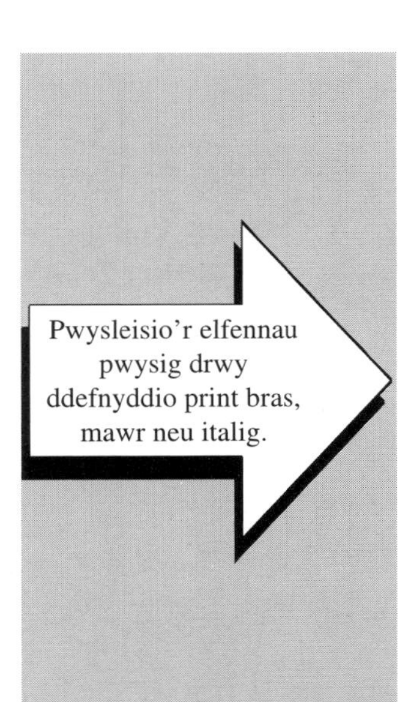

4

Nawr bydd BT yn eich dihuno pan na allwch fforddio bod yn hwyr!

Fyddech chi ddim yn cysgu'n dawelach o wybod y gallwch ddibynnu bob amser ar BT i'ch dihuno pan fydd angen?

Wel, fe allwch wneud hynny nawr!

Mae Galwad Atgoffa gan BT yn hawdd ei threfnu. Rhowch gynnig arni nawr os ydych chi ar gyfnewidfa ddigidol - i fod yn siŵr: ffoniwch **Free***fone 0800* **800 288**. Mae'r pris wedi codi i 20c (*gan gynnwys TAW*) am bob galwad ddihuno. Dilynwch y cyfarwyddiadau syml hyn:

I drefnu galwad i'ch dihuno.

1. Gwasgwch * 55 *
2. Rhowch yr amser ar gyfer eich galwad gan ddefnyddio'r cloc 24 awr. Er enghraifft, byddai 7:30am yn 0730 a 4:30pm yn 1630.
3. Gwasgwch # a gwrandewch ar y cadarnhad.

I ddileu.

Gwasgwch # 55 #

I sicrhau amser yr alwad.

Gwasgwch * # 55 #

Rhowch gynnig arni nawr!

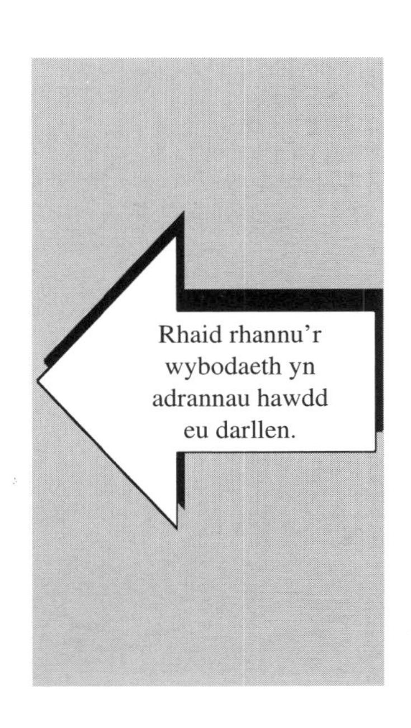

SUT I YSGRIFENNU TAFLEN WYBODAETH

- ❑ Rhaid i chi wybod **pwy yw'ch cynulleidfa**, e.e. plant cynradd, plant yn eu harddegau, oedolion.

- ❑ Rhaid i chi wybod y ffeithiau'n dda ac **ymchwilio i'r pwnc yn dda**.

- ❑ Rhaid cael **arddull syml ac uniongyrchol** - defnyddio **ychydig eiriau, brawddegau byr, paragraffau byr**.

- ❑ Rhaid defnyddio **penawdau bras** ar gyfer y prif adrannau ac **is-benawdau**.

- ❑ Rhaid **rhannu'r wybodaeth yn adrannau** hawdd eu darllen.

- ❑ Defnyddiwch **luniau a diagramau.**
  Dylai fod **ysgrifen yn esbonio'r llun neu'r diagram**.

- ❑ **Cynlluniwch y gwaith** ar y dudalen mewn ffordd ddarllenadwy. Gallwch **bwysleisio'r elfennau pwysig drwy ddefnyddio print bras, mawr neu italig**.

- ❑ **Peidiwch â gorlwytho'ch tudalen** gyda gwybodaeth.
  Y grefft yw **dethol yr wybodaeth angenrheidiol**.

- ❑ Dylai fod **digon o ofod gwyn ar eich tudalen** i wneud y cyfan yn hawdd ei ddarllen.

DARLLEN A THRAFOD

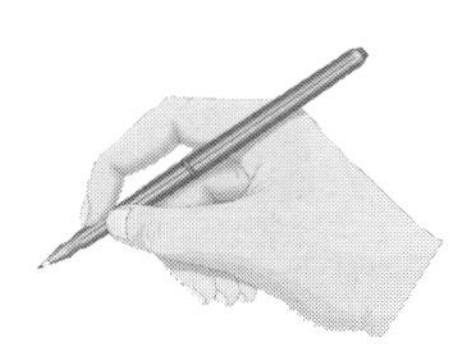

Casglwch nifer o daflenni gwybodaeth o wahanol fathau.
Astudiwch y ffordd maen nhw wedi'u llunio a'r modd y mae'r wybodaeth yn cael ei throsglwyddo.

Trafodwch wendidau a rhagoriaethau'r gwahanol daflenni.

YMARFER

Trowch y ffeithiau yma yn daflen wybodaeth ddiddorol gan drefnu a dylunio'r cyfan yn ddeniadol.

Beth am dreulio gwyliau'r haf yng Nghymru y flwyddyn nesa? Mae gan Wersyll yr Urdd, Glan-llyn, wythnos ar eich cyfer chi yn ystod yr haf. Mae wythnosau i Gymry Cymraeg ac i'r rhai sy'n dysgu Cymraeg.

Mae Gwersyll yr Urdd Glan-llyn ar lan Llyn Tegid ger Y Bala. Dyma un o ardaloedd mwyaf prydferth Cymru ac mae llawer o gyfleusterau ac adnoddau yn y Gwersyll. Mae wythnos yng Nglan-llyn o un nos Sadwrn i'r bore Sadwrn canlynol. Ar eich wythnos arbennig chi fe fydd pobl ifanc o'r un oed â chi o bob cwr o Gymru - cyfle arbennig i chi wneud ffrindiau newydd neu fwynhau cyfarfod â hen ffrindiau. Bydd y ffrindiau a wnewch yn y Gwersyll yn ffrindiau am oes.

Mae llawer iawn o gyfleusterau yn y Gwersyll. Gan fod y Gwersyll ar lan Llyn Tegid mae llawer o'r gweithgareddau yn digwydd ar y llyn. Cewch gyfle i hwylio, canŵio, bwrdd-hwylio neu rwyfo. Does dim rhaid i chi fod yn arbenigwr chwaith, oherwydd mae hyfforddwr profiadol yng ngofal pob gweithgaredd a bydd e'n fwy na pharod i'ch helpu chi. Hefyd mae yma bwll nofio dan do wedi'i wresogi.

Mae pysgota ar Lyn Tegid, ac mae'r gegin yn addo coginio unrhyw bysgod y byddwch chi'n eu dal! Os nad ydych am wneud y pethau hyn mae cyfle i dorheulo ar y lanfa i gael lliw haul.

Un o'r pethau gorau yng Nglan-llyn yw'r neuadd chwaraeon, ar gyfer pêl-foli, badminton, pêl-rwyd, pêl-droed, pêl-fasged a thenis byr. Yma hefyd y cynhelir twmpath dawns fin nos gyda digonedd o le i bawb ddawnsio 'run pryd.

Os ydych yn anturus mae cyfle i rafftio ar Afon Tryweryn gyda gyrrwr trwyddedig i ofalu amdanoch. Gallwch sgïo ar lethr sgïo Trawsfynydd yn ystod yr wythnos.

Datblygiad newydd yw'r wal ddringo, ac mae'n dipyn o sialens i'r dechreuwr ac i'r un sy'n hen law ar ddringo gan fod sawl dringfa arni. Datblygiad newydd arall yw saethyddiaeth, neu mae beiciau mynydd neu gyfle i siopa yn Y Bala.

Mae Glan-llyn yn rhoi pwyslais ar ddiogelwch ac yn defnyddio hyfforddwyr profiadol ar gyfer pob gweithgaredd. Mae pawb yn gorfod gwisgo siaced achub i fynd ar y llyn.

Gyda'r nos mae rhaglen lawn o weithgareddau, dawnsio, neu gyfle i gael barbeciw.

Os ydych chi am wneud cais am le, dewiswch wythnos addas ac ewch i weld arweinydd eich cangen neu'ch athro a rhoi'ch enw ar ffurflen gais, neu gallwch lanw'ch enw a'ch cyfeiriad yn y blwch ar y daflen hon a'i phostio i Wersyll yr Urdd, Glan-llyn, Y Bala.

TAFLEN GYFARWYDDIADAU

MAE'R WYBODAETH YN CAEL
EI CHYFLWYNO
UN CAM AR Y TRO. ✔

MAE'R CYFARWYDDIADAU
YN FYR
AC MOR SYML Â PHOSIBL. ✔

SUT I DDEFNYDDIO CHWAINLADDWR AR EICH CI CHI

☞ **Gwisgwch** fenig rwber. **Ewch** allan i'r awyr iach. **Tynnwch** y clawr oddi ar y chwistrellydd yn ofalus. **Cofiwch** beidio ag anadlu'r cemegion sy'n cael eu chwistrellu.

☞ **Gofalwch** chwistrellu'r bola, y gwddf a'r traed. Er mwyn chwistrellu bola'r ci **ceisiwch** ei gael i orwedd ar ei gefn.

☞ **Daliwch** yr anifail yn llonydd (yn ddelfrydol mae eisiau dau berson, un i ddal yr anifail a'r llall i'w chwistrellu). Bydd rhoi coler am wddf yr anifail yn gwneud y gwaith o'i ddal yn haws.

☞ **Peidiwch** â chwistrellu'r pen oherwydd gall y cemegion fynd i lygaid yr anifail. **Rhaid i chi** chwistrellu ychydig o'r cemegion ar y faneg rwber ar eich llaw ac wedyn rhwbio'r pen yn ofalus.

☞ **Rhwbiwch** got yr anifail gan achosi i'r blew aros i fyny'n syth. Yna, gan ddal y chwistrellydd o leiaf chwe modfedd i ffwrdd o'r anifail, **gwasgwch** y botwm ar y top.

☞ **Gadewch** i'r anifail sychu'n naturiol gan osgoi tanau a gwres am o leiaf 30 munud.

OS BYDD Y CHWAINLADDWR YN MYND AR EICH CROEN
GOLCHWCH Y CEMEGION I FFWRDD YN SYTH.

PEIDIWCH Â BWYTA NAC YFED NAC YSMYGU WRTH DDEFNYDDIO'R CHWISTRELLYDD.

MAE'R GORCHMYNNOL
YN CAEL EI
DDEFNYDDIO'N GYSON. ✔

RHAID CEISIO
RHAGWELD PROBLEMAU
A'U HATEB. ✔

CYFARWYDDIADAU DIOGELWCH PERSONOL I FYFYRWYR

1. Ceisiwch gerdded ar hyd ffyrdd lle mae golau a llawer o bobl - gan osgoi strydoedd tywyll a llwybrau lle nad oes pobl o gwmpas.
2. Os ydych allan yn hwyr y nos trefnwch eich bod yn mynd gartref gyda ffrindiau - neu ffonio am dacsi.
3. Peidiwch â defnyddio radio clust pan fyddwch allan am dro gan na fyddwch yn clywed rhywun yn dod.
4. Peidiwch ag eistedd mewn cerbyd trên ar eich pen eich hunan.
5. Gofynnwch i'r gyrrwr tacsi am weld ei gerdyn adnabod cyn mynd mewn tacsi.
6. Os byddwch yn credu bod rhywun yn eich dilyn brysiwch ar unwaith i fan lle mae llawer o bobl - siop, tafarn neu dŷ gyda golau a gofynnwch am help.
7. Os ydych yn mynd i gyfarfod â rhywun am y tro cyntaf, gadewch i rywun wybod ble'r ydych chi'n mynd, pwy rydych chi'n ei gyfarfod a phryd fyddwch chi'n dychwelyd.
8. Peidiwch â gadael neb i mewn i'ch stafell ond y bobl rydych chi'n ymddiried yn llwyr ynddyn nhw.
9. Peidiwch â gadael drws eich stafell heb ei gloi yn y nos.
10. Gofalwch gario larwm diogelwch yn eich llaw pan fyddwch yn cerdded ar eich pen eich hun.

SUT I WNEUD TAFLEN GYFARWYDDIADAU

Mae cyfarwyddiadau bob amser
yn cynnwys llawer iawn o'r Gorchmynnol *"-wch"*:

Gofal*wch...*	E*wch...*
Gade*wch...*	Tynn*wch...*
Rho*wch...*	Cofi*wch...*
Peidi*wch...*	Ceisi*wch...*
Gwisg*wch...*	Rhaid i chi...

Yn aml bydd angen ymadroddion i ddweud trefn y digwyddiadau:

Wedyn...	Y cam nesa yw...
Ar ôl hyn...	Pan fydd...

YMARFER

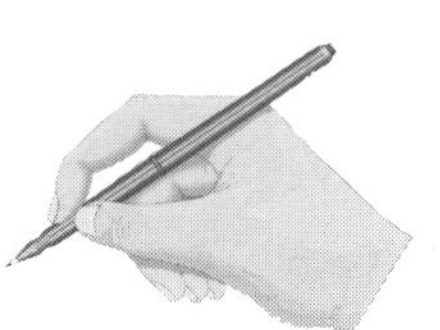

Lluniwch daflen gyfarwyddiadau ar gyfer un o'r canlynol:

- Sut i chwarae rhyw gêm arbennig.
- Sut i goginio rhyw fwyd arbennig.
- Sut i drefnu stafell a bwyd ar gyfer parti llwyddiannus.
- Sut i ddefnyddio rhyw offer arbennig.

HOLIADUR/AROLWG

Holiadur am Lyfrgell yr Ysgol

Beth yw'ch enw chi?

Faint yw'ch oed chi?

Ym mha ddosbarth rydych chi?

Ydych chi'n defnyddio Llyfrgell yr Ysgol o gwbl?

Pryd? (amser egwyl/amser cinio/yn ystod gwersi/ar ôl ysgol)

Pa fath o lyfrau fyddwch chi'n eu benthyca a'u darllen?

Oes digon o'r math yma o lyfrau yn y Llyfrgell?

Ydy'r Llyfrgell yn lle addas i astudio ynddo?

Os nad ydyw, dywedwch pam nad ydyw.

Ydych chi'n hapus gyda'r dull o ddirwyo plant am beidio â dychwelyd llyfrau?

Os nad ydych, fedrwch chi awgrymu ffordd arall?

Pa gyfleusterau eraill ddylai fod yn y Llyfrgell?

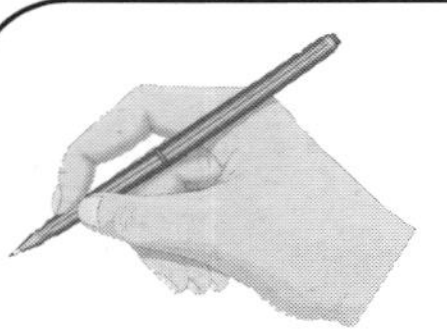

YMARFER

Gwnewch Arolwg gan ddefnyddio Holiadur ar un o'r pynciau canlynol:

- ◆ Diddordebau hamdden plant yr ysgol.
- ◆ Arferion bwyta plant yr ysgol.
- ◆ Patrwm gwylio teledu plant yr ysgol (oriau a rhaglenni).
- ◆ Ble a pha mor aml mae'r staff yn mynd ar eu gwyliau?
- ◆ Defnydd y plant a'r staff o'r gwasanaeth bysiau (ar wahân i ddefnydd ysgol).
- ◆ Patrwm siopa plant a staff.

TRAFOD

Trafodwch ganlyniadau'r Arolwg gan feirniadu unrhyw wendidau yn y dull y lluniwyd yr Arolwg/Holiadur.

SUT I WNEUD HOLIADUR/AROLWG

Llunio Holiadur

- ❑ Er mwyn darganfod yr wybodaeth neu'r data rhaid i chi lunio Holiadur.
- ❑ Rhaid i'r cwestiynau fod yn rhai syml sy'n gofyn am ateb pendant.
- ❑ Un ffordd yw rhoi'r cwestiwn un ochr y dudalen a gadael lle i'r ateb yr ochr arall.
- ❑ Dull arall yw rhoi rhestr o'r atebion posibl a gofyn i'r un sy'n cael ei holi ddewis un ohonyn nhw.
- ❑ Rhaid gofalu holi nifer o bobl - rhwng 20 a 30 o leiaf i gael darlun cywir.
- ❑ Gweithiwch yn ddeuoedd a byddwch yn gwrtais wrth holi pobl.

Paratoi Canlyniadau'r Arolwg

- ❑ Rhaid i chi droi'ch data yn wybodaeth y bydd pobl yn ei deall.
  Un ffordd o wneud hyn yw troi ffigurau'n ganrannau(%):
  Yn lle dweud, *Roedd deg yn cerdded, pump yn dod ar fws a phump mewn car,*
  mae'n haws ei ddeall fel hyn:
  cerdded - 50%; bws - 25%; car - 25%.

- ❑ Dull arall o droi data yn wybodaeth hawdd ei deall yw defnyddio siartiau a graffiau:
  - **siart bar** er mwyn dangos maint/symiau
  - **graff** er mwyn dangos newid/cynnydd/lleihad
  - **siart dangos %**

Siart Bar

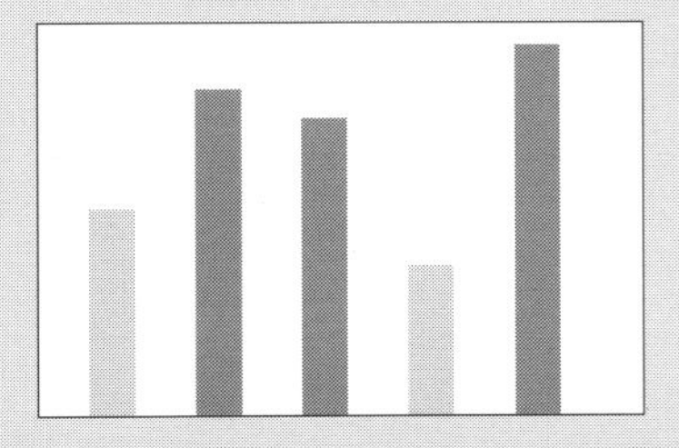

Graff

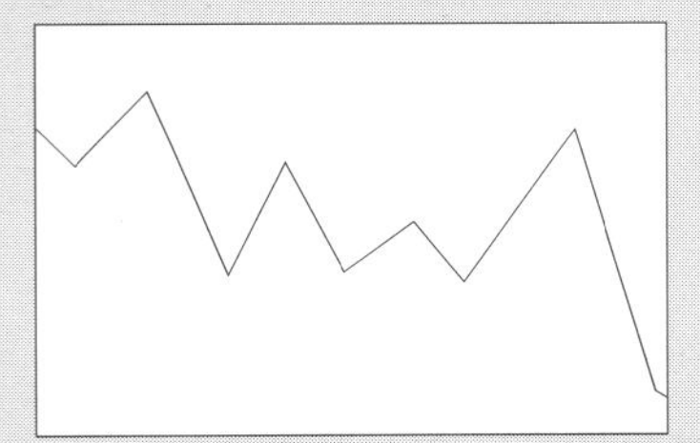

Siart Dangos %

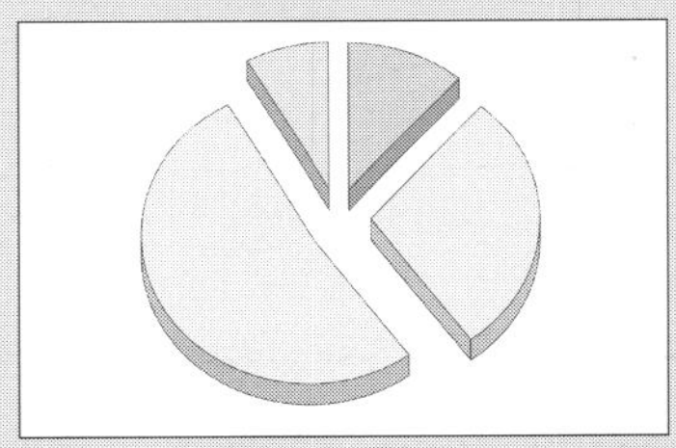

Cyflwyno'r Canlyniadau

- ❑ Amcan yr Arolwg.
- ❑ Ble a phryd y cafodd yr Arolwg ei wneud.
- ❑ Pwy oedd yn gwneud y gwaith cyfweld, paratoi adroddiad.
- ❑ Enghraifft o'r Holiadur a ddefnyddiwyd.
- ❑ Canlyniadau'r Arolwg.
- ❑ Dylai Canlyniadau'r Arolwg gynnwys nid yn unig ffigurau ac adroddiad ysgrifenedig ond hefyd graffiau a siartiau.
- ❑ Llofnod y rhai a drefnodd yr Arolwg a'r dyddiad.

LLYTHYR FFURFIOL

Ysgol Gyfun Aberfffrwd,
Aberfffrwd.
24 Mawrth 1998

Mr John Jones,
Y Cadeirydd,
Clwb Rygbi Aberfffrwd,
Aberfffrwd.

Annwyl Mr Jones,
Rwy'n ysgrifennu atoch ynglŷn â stafelloedd newid Ysgol Gyfun Aberfffrwd. Fel y gwyddoch mae Clwb Rygbi Aberfffrwd yn defnyddio stafelloedd newid yr Ysgol a'r cae chwarae ar gyfer hyfforddi ar nos Fawrth a nos Iau.
Dywedodd y gofalwr fod difrod wedi'i wneud i'r eiddo nos Iau diwethaf gan aelodau eich Clwb chi. Pan aeth y gofalwr i gloi'r stafelloedd roedd ffenest wedi'i thorri ac roedd cwpwrdd wedi'i rwygo o'r wal.
Byddwn yn ddiolchgar pe medrech gael gair gyda'r chwaraewyr er mwyn gofalu na fydd dim byd tebyg yn digwydd eto.

Yn gywir,

Hefin Gruffydd
Prifathro Ysgol Gyfun Aberfffrwd

Cyngor Sir Aberfffrwd,
30 Y Stryd Fawr,
Aberfffrwd.
24 Mawrth 1998

Mr John Jones,
Y Cadeirydd,
Clwb Rygbi Aberfffrwd,
Aberfffrwd.

Annwyl Mr Jones,
Rwy'n ysgrifennu atoch ynglŷn â stafelloedd newid Ysgol Gyfun Aberfffrwd. Fe'n hysbyswyd ni fod difrod wedi'i wneud i'r adeilad gan aelodau Clwb Rygbi Aberfffrwd a oedd yn defnyddio'r lle nos Iau y 18fed o Fawrth. Mae hyn yn gwbl annerbyniol.
Ysgrifennaf i'ch hysbysu y bydd rhaid i'r Clwb dalu'r swm o £47 i'r Cyngor, sef cost atgyweirio'r ffenest a'r cwpwrdd a dorrwyd. O hyn allan bydd y Cyngor yn mynnu eich bod chi'n talu swm o arian i ni ar ddechrau'r tymor fel gwarant am unrhyw ddifrod.
Carwn dderbyn y £47 ar unwaith. Os na fydd yr arian wedi'i dalu o fewn pythefnos, sef erbyn y 7fed o Ebrill, bydd raid i ni wrthod caniatâd i Glwb Rygbi Aberfffrwd ddefnyddio'r stafelloedd o'r dyddiad hwnnw mlaen.

Yr eiddoch yn gywir,

Tudur Owen
Prif Weithredwr Cyngor Sir Aberfffrwd

TRAFOD

Er bod y ddau lythyr yn trafod yr un pwnc mae gwahaniaeth pendant yn naws y ddau lythyr. Mae'r ddau yn defnyddio geiriau ac ymadroddion gwahanol. Trafodwch pa eiriau allweddol sy'n creu'r naws yn y ddau lythyr.
Oes un gair tua dechrau'r ail lythyr sy'n gosod holl naws y llythyr sy'n dilyn?

Mae cynllun ac adeiladwaith arbennig i lythyr ffurfiol:

**Eich
cyfeiriad
chi**

Dyddiad

**Cyfeiriad
yr un
sy'n derbyn
y llythyr**

Annwyl Syr,

**Cofiwch ysgrifennu mewn paragraffau.
Dylai'r paragraff cynta roi'n gryno neges y llythyr.**

Rhowch baragraff i bob pwynt.

**Brawddeg yn cloi sy'n crynhoi'r prif neges
ac yn gofyn am ymateb.**

Yr eiddoch yn gywir,

Eich llofnod chi

SUT I WNEUD LLYTHYR FFURFIOL

Cynnwys

❑ Rhaid dewis geiriau ac ymadroddion sy'n addas ar gyfer y berthynas rhwng yr un sy'n danfon a'r un sy'n derbyn y llythyr. Mae naws yn hollbwysig mewn llythyr busnes.

❑ Rhaid i'r llythyr, hyd yn oed os yw'n ceryddu, fod yn ffurfiol ac yn gwrtais.

Ffurf

❑ Cofiwch fod ffurf ac adeiladwaith arbennig i lythyr busnes (gweler y dudalen flaenorol).

❑ Cofiwch roi cyfeiriad yr un rydych chi'n ysgrifennu ato/ati ar ochr chwith y dudalen.

Arddull

❑ Mae'r Llythyr Busnes yn llawn ymadroddion ac idiomau parod:

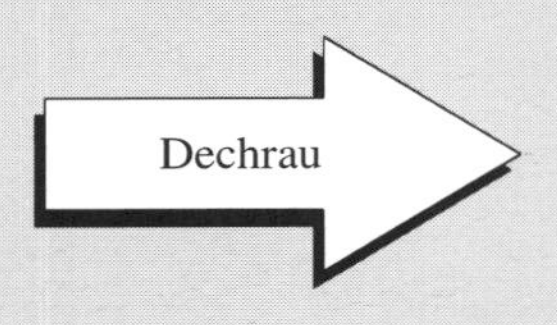

Cyfeiriaf at eich llythyr dyddiedig
Ysgrifennaf mewn ateb i'ch llythyr dyddiedig
Ysgrifennaf i'ch hysbysu
Ymddiheuraf am yr oedi cyn ateb eich llythyr
Mae'n ddrwg gennyf fod cyhyd cyn ateb

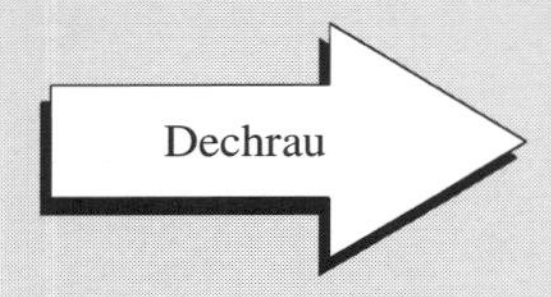

Ysgrifennaf i'ch hysbysu
Rhaid i mi eich hysbysu
Carwn eich hysbysu
Mae'n bleser gennyf eich hysbysu

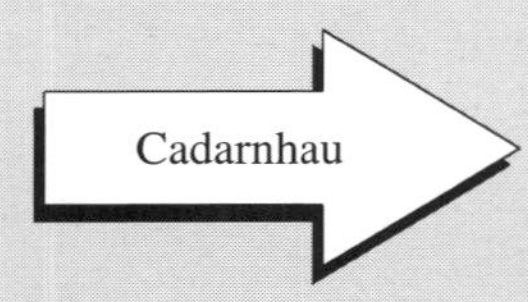

Hoffwn gadarnhau
Dymunaf gadarnhau
Rhaid i mi ailadrodd
Dyma'r tro olaf i mi eich rhybuddio

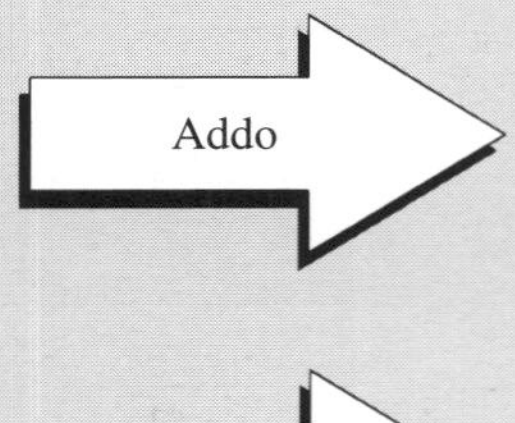

Byddwn yn ymchwilio i'r mater
Gwneir ymholiadau pellach
Gallaf eich sicrhau y byddwn

isod
uchod
Amgaeaf gopi o
Mae'r manylion yn amgaeëdig

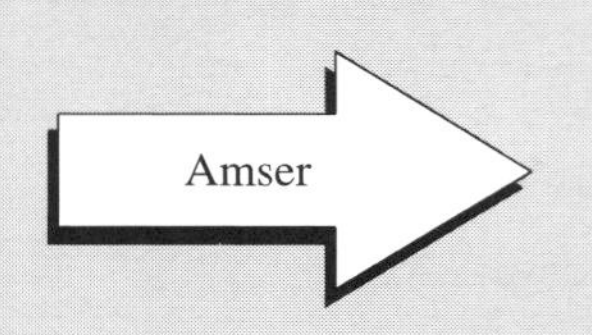

mewn pryd
yn y cyfamser
unrhyw adeg
yn y dyfodol
gynted ag y bo modd
ymhen deuddydd
gyda'r troad

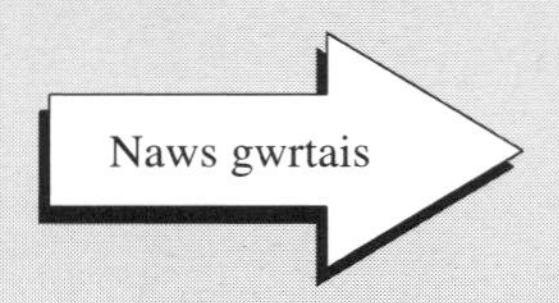

Hyderaf y bydd
Rwy'n gobeithio
mewn pryd
Hyderaf na achoswyd gormod o drafferth i chi
Gadewch i mi wybod
Tybed a fyddech gystal â
Byddwn yn ddiolchgar pe
Hyderaf y gallwch fod o gymorth i mi

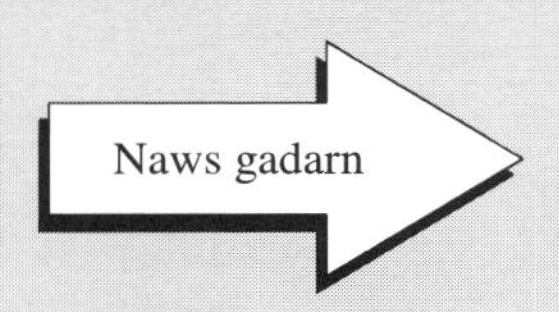

Yn ôl yr hyn a ddywedwch
Synnais glywed
Rydyn ni'n gofidio bod
Hoffwn dynnu eich sylw at
Rhaid i mi eich hysbysu
Mae'n ymddangos i mi
Credwn eich bod chi ar fai
Credwn fod eich achwyniad yn ddi-sail

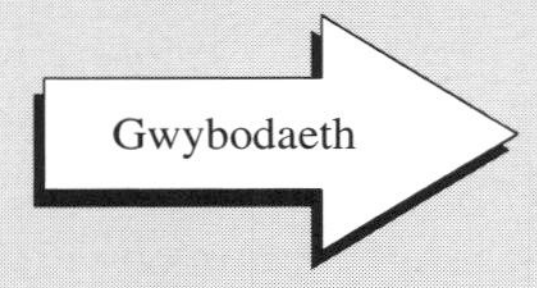

Rydyn ni wedi penderfynu
Rydyn ni wedi ymchwilio i'ch achwyniad

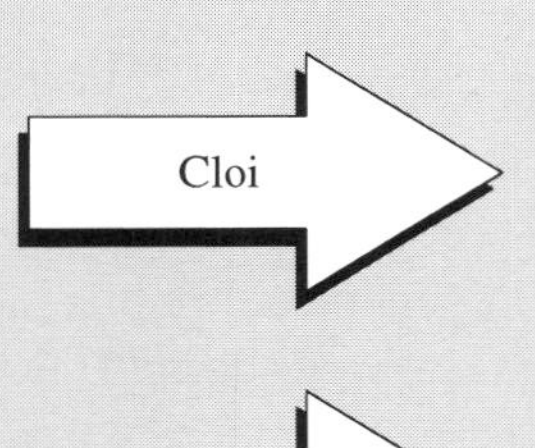

Os na fyddwch yn... bydd yn rhaid i ni
Dyma'n gair olaf ar y mater yma
Edrychaf ymlaen i gyfarfod â chi
Peidiwch â phetruso rhag cysylltu â mi unrhyw amser
Os gallaf fod o gymorth i chi, rhowch wybod i mi

Yr eiddoch yn gywir,
Yn gywir,

YMARFER

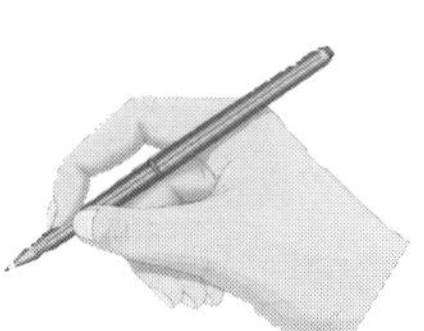

Ysgrifennwch ddau lythyr ffurfiol, un gyda naws gyfeillgar a'r llall yn llym:

- Llythyr prifathro at rieni plentyn yn achwyn am ei ymddygiad.
- Llythyr oddi wrth y Bwrdd Dŵr at Reolwr Ffatri sy'n arllwys gwastraff i'r afon.
- Llythyr oddi wrth Mr Haydn Jones, 5 Bro Goronwy, Llanllechid at y Cyngor lleol yn achwyn bod ei gymdogion yn cadw sŵn ac yn achosi helynt.

COFNODION PWYLLGOR

COFNODION PWYLLGOR CLWB PÊL-DROED FELINWEN, NOS WENER 20FED HYDREF 1998 YN NHAFARN Y LLEW DU.

Presennol: Gary Davies (Cadeirydd); Rhydian Jones (Trysorydd); Huw Williams (Ysgrifennydd); Dafydd Huws (Capten); Emyr Roberts; Geraint Llwyd, Gwyn Davies.

1. **Croeso** Croesawyd pawb i'r cyfarfod gan y Cadeirydd.

2. **Ymddiheuriadau** Alun Davies, Iwan Ifans, Hywel Jones.

3. **Cofnodion y Cyfarfod Diwethaf** *Darllenwyd cofnodion cyfarfod 19 Medi 1998 gan* yr Ysgrifennydd. *Cynigiwyd bod y cofnodion yn gywir gan* Dafydd Huws ac eiliwyd gan Rhydian Jones.

4. **Materion yn Codi o'r Cofnodion**
   Pwnc 2. Mater y Peiriant Torri Porfa. *Dywedodd y Cadeirydd ei fod wedi* prynu peiriant torri porfa ail-law am £400.
   Pwnc 6. Mater Apwyntio Gofalwr Newydd. *Cadarnhaodd* y Trysorydd *fod* y Gofalwr newydd, Mr Tudur Jones, yn dechrau ar ei waith ddydd Llun y 5ed o Dachwedd.

5. **Cwis Chwaraeon** *Llongyfarchwyd* Mr Gwyn Davies gan y Cadeirydd *ar* ei lwyddiant yng nghystadleuaeth Cwis Chwaraeon y BBC a dymunwyd pob llwyddiant iddo yn y rownd derfynol.

6. **Cystadleuaeth 6-Bob-Ochr** *Teimlai pawb* fod cyfle da i ennill gan fod y tîm wedi dod yn ail y llynedd. Wedi trafodaeth *penderfynwyd* anfon tîm i gystadleuaeth pêl-droed chwech-bob-ochr yn Aberdyfi ym mis Mehefin 1999.

7. **Adroddiad y Capten** *Dywedodd* y Capten, Dafydd Huws, iddo dderbyn achwyniadau gan bobl o'r pentref fod dau chwaraewr o'r tu allan yn chwarae yn y tîm ac y dylai fod mwy o siawns i fechgyn lleol gael eu lle yn y tîm. *Trafodwyd y mater* a *phenderfynwyd o dair pleidlais i ddwy* mai un chwaraewr yn unig o'r tu allan fyddai'n cael chwarae yn y tîm o hyn allan.

8. **Adroddiad y Trysorydd** *Cyflwynodd y Trysorydd fantolen* am y ddau fis a aeth heibio a dywedodd fod pawb wedi talu'r tâl aelodaeth yn brydlon.

9. **Codi Arian** *Ar ôl trafodaeth penderfynwyd* cael raffl fawr i godi arian gan geisio cael pob aelod o'r Clwb i werthu ugain tocyn. Penderfynwyd cael cystadleuaeth "Ble mae'r tarw wedi domi?" ar y cae pêl-droed gan werthu sgwariau am £1 yr un - gyda gwobr o £50 i'r sawl oedd wedi dewis y sgwâr cywir. *Penderfynwyd gofyn i* Sam Lewis, Fferm yr Hafod, am fenthyg ei darw a chytunwyd ar y dyddiad sef y 1af Ionawr 1999.

10. **Unrhyw Fater Arall**
    Teimlai Geraint Llwyd ei fod yn siarad ar ran pob un o'r chwaraewyr pan ddywedai ei bod hi'n hen bryd i'r Clwb gael stafelloedd newid newydd. Dywedodd mai Clwb Felinwen oedd yr unig glwb pêl-droed yn Ewrop oedd yn newid mewn sied sinc! *Cytunwyd i ddechrau codi arian yn y dyfodol agos.*

11. **Dyddiad y Cyfarfod Nesaf**
    Cytunwyd cynnal y cyfarfod nesaf ar y 3ydd o Ragfyr 1998 yn Nhafarn Y Llew Du am 7.30.p.m.

Gary Davies (Cadeirydd) Huw Williams (Ysgrifennydd)

ADDASU

Addaswch y Cofnodion yma o Bwyllgor Clwb Pêl-droed i fod yn gofnodion pwyllgor gwahanol - megis Clwb Chwaraeon arall/Yr Urdd/Clwb Ffermwyr Ifanc/neu unrhyw glwb/mudiad/cymdeithas arall.

SUT I YSGRIFENNU COFNODION

Ffurf

❑ Dilynwch drefn arbennig gyda phenawdau i bob adran:

- Enw'r pwyllgor
- Dyddiad a lleoliad y pwyllgor
- Enwau'r rhai sy'n bresennol
- Ymddiheuriadau
- Cofnodion y cyfarfod diwethaf
- Materion yn codi o'r cofnodion
- Cofnod o benderfyniadau'r pwyllgor ar bynciau'r Agenda
- Unrhyw fater arall
- Dyddiad y cyfarfod nesaf
- Llofnod y Cadeirydd a'r Ysgrifennydd

Arddull

❑ Defnyddir llawer iawn o'r ffurf Amhersonol:

Darllenwyd...	Apwyntiwyd...
Cynigiwyd...	Etholwyd...
Eiliwyd...	Hysbyswyd...
Penderfynwyd...	Ailetholwyd...
Dewiswyd...	Pleidleisiwyd...
Trafodwyd...	Gohiriwyd...

❑ Defnyddir llawer iawn o eiriau ac ymadroddion parod:

trafod	Teimlai	yn unfrydol
cynnig	Cadarnhaodd...	wedi trafodaeth
eilio	Dywedodd...	adroddiad ariannol
ethol	Llongyfarchodd...	sefyllfa ariannol
ailethol	agenda	mantolen
pleidleisio	yn gywir	unrhyw fater arall
cytuno	materion yn codi	pleidlais
anghytuno		

Dyma ddeialog rhwng y bobl oedd ym mhwyllgor Ras y Dyffryn ar y 10fed o Dachwedd 1998 yng Ngwesty Tŷ Coch am 7.30 p.m. *Enwau aelodau'r pwyllgor: Dafydd Tomos (Cadeirydd); Neil Roberts (Ysgrifennydd); Gwenda James (Trysorydd); Mair Walters; y Parch. Lefi Ifans; Nia Lewis; Gordon Brown.*

Dafydd: Wel, croeso i chi i gyd i bwyllgor blynyddol Ras y Dyffryn. Oes unrhyw ymddiheuriadau? Nac oes. Felly mlaen â ni i'r eitem nesa. Ydych chi am i ni fynd drwy gofnodion y pwyllgor diwethaf?

Pawb: Na.

Dafydd: Pawb yn derbyn eu bod yn gywir? Da Iawn. Y peth nesa' ar yr Agenda yw ethol swyddogion.

Nia: Rwy'n cynnig bod y swyddogion presennol yn cael eu hailethol.

Gordon: Rwy'n eilio.

Dafydd: Oes cynnig arall? Gawn ni beidlais? Pawb yn unfrydol felly. Nawrte, y mater nesa'. Dyddiad y Ras.

Gwenda: Rwy'n meddwl y byddai hi'n syniad da cynnal y Ras ar ddydd Llun y Pasg.

Lefi: Dwy i ddim yn meddwl bod hynny'n syniad da o gwbl! Mae'r Pasg yn ŵyl grefyddol a rhaid i ni barchu hynny. Rwy'n awgrymu'r dydd Sadwrn cyn y Pasg oherwydd fe fydd yr ysgolion newydd gau a phobol yn rhydd i ddod.

Neil: Rwy'n cynnig bod y Ras ar y dydd Sadwrn fel mae'r Parch. Lefi Ifans wedi'i awgrymu.

Lefi: Rwy'n eilio'r cynnig.

Dafydd: Oes cynnig arall? Na? Gawn ni bleidlais? Mae'r cynnig wedi ei basio felly o bedair bleidlais i un. Yr eitem nesa ar yr Agenda yw gwobrau. Rydyn ni'n arfer cael nawdd gan *Gwmni Bwydydd Organig Gwalia,* ond rwy'n deall eu bod nhw'n methu'n helpu ni eleni oherwydd problemau economaidd. Felly bydd yn rhaid cael noddwr arall.

Neil: Beth am ofyn i nifer o fusnesau bach lleol roi £25 yr un - a rhoi hysbyseb iddyn nhw yn ein rhaglen?

Lefi: Syniad gwych - rwy i'n fodlon bod yn gyfrifol am ofyn i'r busnesau am nawdd at y gwobrau.

Dafydd: Os nad oes gyda rhywun unrhyw syniad arall - rydyn ni felly'n mynd i gael nifer o fusnesau bach i'n noddi ac yn ddiolchgar i'r Parch. Lefi Ifans am fod mor barod i gasglu'r arian.

Dafydd: Yr eitem nesa ar yr Agenda yw Stiwardiaid.

Mair: Rwy'n credu bod rhai o'r Stiwardiaid llynedd yn rhy ifanc. Doedd rhai ohonyn nhw ddim yn gofyn i'r ceir arafu ac roedd hynny'n beryglus. Rwy'n cynnig mai pobol mewn oed yn unig fydd yn stiwardio.

Gordon: Rwy'n cytuno.

Dafydd: Oedolion yn unig i stiwardio'r flwyddyn nesa. Ymlaen i'r eitem nesa felly. Dim ond un mater sy ar ôl nawr, sef derbyn adroddiad y Trysorydd ar y sefyllfa ariannol.

Gwenda: Dyma gopïau o'r fantolen. Fel gwelwch chi, mae gyda ni £100 yn y banc ar ôl i ni roi £400 i *Oxfam* y llynedd. Mae wyth deg punt ar ôl yn y Banc i'w wario ar gostau'r Ras eleni.

Dafydd: Dyna ni wedi gorffen yr agenda, ond mae gan Nia un mater i'w godi dan Unrhyw Fater Arall.

Nia: Fel y gwyddoch chi mae'r Ras yn dechrau o iard yr ysgol gynradd a phawb yn cofrestru yn yr ysgol. Rwy'n credu y byddai hi'n syniad da codi arian i'r ysgol drwy i nifer ohonon ni'r rhieni yn gwneud te a brechdanau i'w gwerthu, yn ogystal â gwerthu diodydd a chreision i'r plant.

Gwenda: Syniad da - ond pwy sy'n mynd i wneud y gwaith?

Nia: Rwy'n fodlon trefnu'r cyfan.

Dafydd: Diolch yn fawr iawn, Nia. Wel, dyna ni am eleni eto. Diolch i chi i gyd am ddod. Fe fyddwn ni'n cwrdd nesa flwyddyn i heno ar y 10fed o Dachwedd 1999.

YMARFER

Chi yw Neil Roberts, Ysgrifennydd Pwyllgor Ras y Dyffryn. Ysgrifennwch gofnodion y pwyllgor uchod gan ofalu defnyddio'r ffurf a'r arddull cywir. Cofiwch ddefnyddio *Sut i Ysgrifennu Cofnodion* i'ch helpu.

TRAFOD AC YMARFER

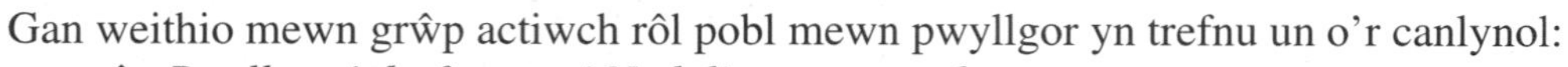

Gan weithio mewn grŵp actiwch rôl pobl mewn pwyllgor yn trefnu un o'r canlynol:

- *Pwyllgor i drefnu parti Nadolig yn yr ysgol.*
- *Pwyllgor i ddechrau Clwb Diddordeb Hamdden yn yr ysgol.*
- *Pwyllgor i drefnu protest yn erbyn cau ffatri leol.*

Ar ôl gorffen trafod ac actio rôl ysgrifennwch gofnodion y pwyllgor.

ADRODDIAD I BAPUR BRO

Newyddion
LLAIS Y FFRWD
Papur Bro Aberfffrwd

MARWOLAETH

Cydymdeimlir yn ddwys â Mrs Jane Jones, Fronddu sy wedi colli ei gŵr John a fu farw wedi salwch hir.
Cydymdeimlir hefyd â Simon Williams, Cae Madog, sy wedi colli ei chwaer Hilda a fu farw yn Awstralia lle'r oedd yn byw ers blynyddoedd lawer.

GENEDIGAETH

Llongyfarchiadau cynnes i Diane a Lyn Thomas, Awelon, ar enedigaeth eu merch, Haf. Dyma chwaer fach i Euros ac wyres i Mr a Mrs Tom Thomas, Rhyd-y-gof.

PRIODAS DDA

Pob dymuniad da i Non a Brian Stevens, dau o blant y pentre, a briododd yn ddiweddar ac sy'n dod i fyw i 34 Bro Hafan.

DIOLCH

Dymuna Keith Evans, Erwlon ddiolch i bawb a fu'n ei weld tra oedd yn cael llawdriniaeth yn yr ysbyty yn ddiweddar, ac am yr holl roddion a chardiau a gafodd.

CROESO

Croeso i Mr a Mrs Siôn Gwilym sy wedi symud i 56 Bro Hafan. Daw Mr Gwilym o ardal Dolgellau. Mae Mrs Gwilym, sef Beti Elias gynt, yn adnabyddus i bawb gan ei bod hi'n ferch i'r Parch Dyfed Elias, gweinidog yn y pentre ers blynyddoedd mawr bellach.

YN YR YSBYTY

Gwellhad buan i Mrs Thomas, Mynach Villa, sy ar hyn o bryd yn yr ysbyty.

PRIODAS AUR

Llongyfarchiadau i Mr a Mrs Edward Humphreys, Llys-y-coed, sy'n dathlu eu priodas aur y mis yma.

DIOLCH

Dymuna Mrs Nesta Harries, Cogyddes Ysgol Gynradd Aberffrwd, ddiolch i holl staff a phlant a rhieni'r ysgol am y rhodd a dderbyniodd ar ei hymddeoliad.

YMDDEOLIAD

Ymddeoliad hapus i Mrs Nesta Harries sy wedi ymddeol yn ddiweddar ar ôl bod yn Gogyddes yn Ysgol Aberffrwd am dri deg o flynyddoedd. Bydd y plant yn gweld ei heisiau'n fawr.

YSGOL ABERFFRWD

Cynhaliwyd Eisteddfod yr ysgol. Cafwyd llawer o baratoi a chystadlu brwd. Enillwyd Cadair yr Eisteddfod gan Elin Wyn, 10 Bro Hafan.

CODI ARIAN

Cynhaliwyd raffl fawr i godi arian i *Oxfam*. Trefnwyd y raffl gan Teifryn Rees a Gwenda Cothi, dau o blant chweched dosbarth Ysgol Gyfun Aberffrwd. Codwyd y swm o £546 tuag at yr achos.

Y CAPEL

Cynhaliwyd Gwasanaeth Gwyl Ddewi y capel. Pregethwyd gan y Parch J Tywyn Morgan a chafwyd cynulleidfa dda gyda the yn y Festri ar ddiwedd y cyfarfod.

COFION

Danfonwn ein cofion at Mrs Beti Jones, Glanffrwd, sy wedi bod yn gaeth i'w chartref ar ôl torri ei choes. Brysiwch wella!

CINIO

Cynhelir cinio blynyddol y Clwb Pêl-droed yng Ngwesty'r Harbwr nos Sadwrn y 7fed o Ebrill am 7.30. Os ydych yn dymuno mynd, rhowch eich enw i'r Ysgrifennydd John Ratcliff ar unwaith os gwelwch yn dda.

BRENHINES

Dewiswyd Nia Hughes yn Frenhines y Clwb Ffermwyr Ifanc. Mae Nia yn ddisgybl yn Ysgol Uwchradd Aberffrwd lle mae'n astudio Cemeg, Ffiseg a Mathemateg.

NOSON LAWEN

Cynhelir Noson Lawen fawr yn Neuadd Aberffrwd nos Sadwrn 25 Mawrth. Bydd y noson yn cael ei dangos ar S4C.

SEREN

Agorir yn swyddogol y Maes Chwarae i blant ar y 10fed o Ebrill. Bydd un o sêr y byd teledu, Miss Hilda Hawkins, yn dod i agor y Maes Chwarae a bydd parti a gêmau i'r plant.

SIEC

Cyflwynwyd siec o £366 i Ysgol Aberffrwd gan Mr John Jones, Maesmawr er cof am ei wraig Marged.

**PAPUR BRO
LLAIS Y FFRWD**

Cyhoeddir rhifyn arbennig o'r papur bro y mis nesaf i ddathlu penblwydd y papur yn ddeng mlwydd oed.
Danfonwch yr erthyglau a'r lluniau i olygydd y mis: Daniel Davies, Cartrefle.

Mae dwy ffordd o ysgrifennu'r Amhersonol. (Gweler y pecyn *Crefft Ysgrifennu*):

Ffordd Hir	**Ffordd Fer**
Bydd yr ysgol newydd ***yn cael ei hagor*** gan un o actorion *Pobol y Cwm* sef Huw Ceredig.	***Agorir*** yr ysgol newydd gan un o actorion *Pobol y Cwm* sef Huw Ceredig.
Mae Ffair Hen Bethau ***wedi cael ei chynnal*** yn yr Eglwys ***ac fe gafodd*** £450 ***ei godi*** at achosion da.	***Cynhaliwyd*** Ffair Hen Bethau yn yr Eglwys *a* ***chodwyd*** £450 at achosion da.

YMARFER

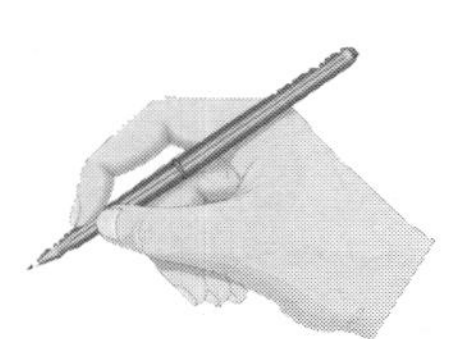

Trowch y brawddegau isod o ffurf hir yr amhersonol i ffurf fer yr amhersonol.
Cofiwch mai dyma'r ffurfiau sy'n cael eu defnyddio mewn papur bro:

Amhersonol Dyfodol - yn mynd i ddigwydd *-ir.*
Amhersonol Gorffennol - wedi digwydd *-wyd.*

Cafodd Wil *ei anrhydeddu* am iddo achub bywyd y ferch fach.
Mae siop y pentre *wedi cael ei phrynu* gan fachgen lleol, Dafydd Morris.
Mae Brian Huws, bachgen o Aberffrwd, *wedi cael ei ddewis* i chwarae dros Gymru.
Cafodd Adrian Morgan *ei ethol* yn gapten tîm rygbi'r ysgol.
Bydd cinio blynyddol Clwb Rygbi Aberffrwd *yn cael ei gynnal* yng Ngwesty'r Harbwr nos Sadwrn y 7fed o Ragfyr.
Roedd Sioe Gŵn *wedi cael ei chynnal* yn y Parc.
Cafodd Mr Ambrose Thomas A.S. *ei groesawu* gan y gweithwyr oedd yn streicio yn y Ffatri.
Bydd rhifyn nesaf **Llais y Ffrwd** *yn cael ei gyhoeddi* ddechrau mis nesaf.
Cafodd Gwasanaeth Diolchgarwch *ei gynnal* yn y capel.
Bydd llawenydd mawr *i'w weld* yn yr ysgol pan ddaw Siôn Corn i'r parti.
Roedd y cae pêl-droed *wedi'i werthu* er mwyn adeiladu tai arno.
Cafodd £1000 *ei roi* gan y miliynydd Dafydd Walters tuag at Gronfa'r Ysbyty.

YMARFER

Chi yw Golygydd y Papur Bro.
Rydych wedi derbyn yr adroddiadau canlynol i'w rhoi yn y papur.

- Trowch nhw'n adroddiadau papur bro ar batrwm *Newyddion Llais y Ffrwd.*
- Defnyddiwch eiriau ac ymadroddion allan o *Sut i Ysgrifennu Newyddion i Bapur Bro.*

Mae Mr Huw Davies, 23 Bro Tudur, wedi marw. Roedd yn 63 oed ac mae'n gadael gwraig - Jane a dau o blant - Tom a Nesta. Bu Mr Davies yn gofalu am siop y pentre am 30 mlynedd.	Mae'r papur bro *Llais y Ffrwd* yn cyhoeddi calendr yn llawn o luniau'r ardal. Danfonwch £2 i'r Golygydd, Bryn Meirion, Aberffrwd os ydych am gopi.

Mae Roy a Carys Thomas, 15 Bro Tudur, wedi cael merch fach. Enw'r baban yw Fflur Haf. Mae un plentyn gyda nhw'n barod - sef Tomi. Mae taid a nain y baban hefyd yn byw yn y pentre sef Cyril a Gwenda Thomas, Troed-y-rhiw.

Mae Mair Hughes, Tŷ Coch, wedi priodi â Brian Thomas o Gaernarfon. Roedd y briodas yn Eglwys Dewi Sant ac mae'r ddau yn mynd i fyw yng Nghaernarfon.

Mae Mrs Anita Rees, 3 Bro Tudur, yn yr ysbyty ar ôl torri'i braich wrth syrthio yn yr eira.

Mae Mr a Mrs Hubert Humphreys yn dathlu eu priodas aur y mis yma. Maen nhw'n byw yn 8 Gwaelod y Garth, Aberfffrwd.

Mae'r rhifyn nesaf o *Llais y Ffrwd* yn y siopau ar y 7fed o Hydref a rhaid i bob un ddanfon newyddion y rhifyn nesa cyn y 25ain o Fedi.

Mae tîm pêl-droed pentre Aberfffrwd wedi ennill cystadleuaeth *Cwpan y Pentrefi* am y tro cyntaf erioed. Roedd hyn er gwaetha'r ffaith fod seren y tîm, Wil "Dynamo" Davies, wedi cael ei anafu a thorri'i goes. Yn yr hanner cyntaf roedd yn ymddangos fel pe bai'r tîm yn mynd i golli gan fod Rhyd-y-bont ar y blaen o un gôl i ddim. Ond yn yr ail hanner sgoriodd Marc Evans o ugain llath, ac yna peniodd Arthur Thomas y bêl i rwyd Rhyd-y-bont gan wneud y sgôr terfynol yn 2-1 i Aberfffrwd.

Mae Dr Dan Williams wedi'i ethol yn Gadeirydd Pwyllgor Neuadd y Pentref. Y swyddogion eraill a gafodd eu hethol oedd Mr Dafydd Rogers yn Drysorydd, a Mr Rhys Richards yn Ysgrifennydd.

Mae tîm pêl-droed dan 11oed yn dechrau yn y pentre. Bydd yr ymarfer cyntaf ddydd Sadwrn 24 Medi am ddeg o'r gloch y bore.

Mae Cangen Merched y Wawr y pentre yn cynnal bore coffi yn yr ysgol ddydd Iau, Medi'r 8fed am 10 o'r gloch. Bydd yr arian yn mynd at achos da sef *Oxfam*.

Mae Mr a Mrs Angharad Puw wedi dod i fyw i'r pentre yn Hafan Deg. Mr Puw yw Rheolwr newydd y Ffatri Laeth. Mae ganddyn nhw ddau o blant - Gwawr a Medi.

Roedd y Noson Lawen yn y Neuadd wedi codi £300 tuag at Uned y Galon, Ysbyty Aberystwyth. Mae'r trefnwyr eisiau diolch i bawb a gefnogodd y noson.

Mae Mrs Gwladus Morgan, Penybryn, yn dathlu ei phenblwydd yn 90 oed y mis yma.

Mae Ifor Siôn wedi ennill cystadleuaeth gyda'r Ffermwyr Ifanc a'r wobr yw cael taith i Seland Newydd am dri mis. Bydd yn gweithio ar fferm yno ac yn astudio'u ffordd nhw o ffermio.

Roedd Sioe Ffasiynau yn y Neuadd gyda'r elw'n mynd at henoed yr ardal. Roedd y sioe yng ngofal Mrs Beti Jones, perchennog *Siop Sidan*. Roedd llawer o ddillad wedi'u gwerthu a'r elw (tuag at yr Ysgol Feithrin) oedd £600.

Bydd Eisteddfod Flynyddol y Pentre yn cael ei chynnal yn Neuadd y Pentre nos Sadwrn y 15fed o Hydref.

Modurdy Dai,
Aberfffrwd.

Annwyl Olygydd,
A wnewch chi yn rhifyn nesaf y papur ddiolch i bob un a fu mor garedig â danfon blodau a rhoddion a chardiau i mi pan oeddwn yn Ysbyty Aberystwyth yn ddiweddar.
Diolch yn fawr.
David Jones

Bydd Cynddylan Jones A.S. yn agor cae chwarae newydd y pentre ar fore Sadwrn y 7fed o Fedi. Bydd parti i'r plant yn y neuadd wedyn.

SUT I YSGRIFENNU NEWYDDION I BAPUR BRO

- Y ffurf yw ychydig frawddegau mewn **iaith ffurfiol** yn adrodd hanes neu'n danfon cyfarchion i bobl.

- Defnyddir llawer iawn o **eiriau ac ymadroddion parod**:
  Llongyfarchiadau i... Croeso i... Dymunwn adferiad iechyd buan i...

- Defnyddir llawer iawn o'r **Ffurf Amhersonol**:
  Cynhelir... Agorir... Cynhaliwyd... Etholwyd...

- Geiriau ac ymadroddion defnyddiol:

Danfon cyfarchion at wahanol bobl	
Llongyfarchiadau i...	Dymuna... ddiolch i...
Pob dymuniad da i...	Cydymdeimlir â...
Croeso i...	Priodas dda i...
Gwellhad buan i...	Danfonwn ein cofion at...

Gwneud adroddiad am rywbeth *sy wedi digwydd*	
Cynhali*wyd*...	Dewis*wyd*...
Caf*wyd*...	Apwynti*wyd*...
Cyflwyn*wyd*...	Enill*wyd*... gan...
Diolch*wyd* i... gan...	Ethol*wyd*...

Hysbysebu rhywbeth *sy'n mynd i ddigwydd*
Cynhel*ir*...
Agor*ir*...
Cyhoedd*ir* y rhifyn nesaf ar...
Arwein*ir* y noson gan...

ADRODDIAD PAPUR NEWYDD

CARCHAR I CHWARAEWR PÊL-DROED

gan Geraint Griffiths

Roedd ddoe yn ddiwrnod trist iawn yn hanes y pêl-droediwr enwog Dai "Banana" Jones pan ddedfrydwyd ef i flwyddyn o garchar am gicio cefnogwr a thorri ei drwyn. Dywedodd y Barnwr Walter Rhydderch wrth ei ddedfrydu yn Llys y Goron yng Nghaerdydd fod yn rhaid ei gosbi er mwyn dangos i eraill nad oedd ymddygiad o'r math yma'n dderbyniol.

YMLADD

Bydd y seren enwog a sgoriodd fwy o goliau na neb arall yng nghystadleuaeth Cwpan Pêl-droed y Byd yn dechrau ei garchariad yn syth. Roedd cannoedd o gefnogwyr Dai Jones wedi dod i'r Llys ac roedd y Llys ei hun a'r strydoedd y tu allan yn orlawn o bobl yn gweiddi, *"Banana am Byth!"*, *"Gadewch Dai'n rhydd!"*. Bu ymladd yn y stryd y tu allan rhwng cefnogwyr y pêl-droediwr a'r Heddlu ac arestiwyd deg o bobl a chymerwyd dau Heddwas i'r ysbyty mewn ambiwlans.

PRYFOCIO

Yn y Llys ei hun plediodd Dai Jones yn euog i'r cyhuddiad a dywedodd ei fod wedi cael ei bryfocio am fod y cefnogwr wedi gweiddi arno, *"Ar ben coeden mae dy le di!"* a *" Mae pob banana yn feddal."* Cyfaddefodd ei fod wedi rhedeg at y cefnogwr a neidio drwy'r awyr a'i gicio yn ei drwyn. Dywedodd Mr Edryd Thomas, bargyfreithiwr, wrth amddiffyn Jones, *"Cafodd Mr Jones ei bryfocio gan sylwadau gwawdlyd. Bai'r cefnogwr yw'r cyfan. Dyw Mr Jones ddim wedi ymosod ar neb erioed o'r blaen."*

GWNEUD ESIAMPL

Dywedodd y Barnwr Walter Rhydderch nad oedd ganddo unrhyw ddewis ond danfon Jones i garchar, *"Rhaid rhoi cosb lem i ddangos nad yw cicio aelodau o'r cyhoedd yn dderbyniol. Mae pobl ifanc yn efelychu chwaraewyr fel Mr Jones a rhaid ei gosbi a gwneud esiampl ohono neu fe fydd pob plentyn sy'n chwarae pêl-droed yng Nghymru yn mynd o gwmpas yn cicio pobl yn eu trwynau."*

CAEL CAM

Ar ôl yr achos Llys dywedodd Rheolwr Tîm Dinas Bangor, Sid Rees, *"Mae Dai Jones wedi cael cam a byddwn yn apelio yn erbyn y dyfarniad."* Yn ôl yr hanes cafodd Dai Jones groeso mawr gan y carcharorion yng ngharchar Abertawe ac mae sôn y bydd yn chwarae pêl-droed i dîm y carchar cyn hir.

PROTESTIO I BARHAU

Bu cefnogwyr Mr Jones yn peintio sloganau ar waliau'r dre ac mae disgwyl y bydd nifer fawr ohonyn nhw yn mynd y tu allan i'r carchar i brotestio ac i ganu ddydd Sadwrn. Dywedodd llefarydd ar ran yr Heddlu, *"Rwy'n gobeithio y bydd cefnogwyr Mr Jones yn ymddwyn yn gall ac na fydd rhagor o helynt. Does dim pwrpas protestio. Mae e wedi cael ei gosbi a dyna ddiwedd ar y mater."* Ond yn ôl Miss Lisi Williams sy'n wyth deg oed ac yn un o gefnogwyr mawr Mr Jones, *"Fe fydda' i'n dal i brotestio. Fedrwn ni ddim gadael i Banana gael cam. Rwy'n crio wrth feddwl am y peth. Rhaid.cael Dai allan o'r carchar - dydy'r cae pêl-droed ddim 'run fath heb yr hen Dai"*.

ADDASU

Addaswch y stori yn y papur newydd i fod yn stori am un o'r rhain:

- Dyn ifanc wedi torri ffenest siop ar ôl meddwi.
- Dyn parchus wedi cael ei ddal yn lladrata o siop.
- Pregethwr wedi bwrw plismon ar ei ben gydag ymbarél.
- Prifathro yn rhedeg i ffwrdd gydag actores enwog.

SUT I YSGRIFENNU ADRODDIAD PAPUR NEWYDD

Wrth ysgrifennu Adroddiad i bapur newydd mae'n bwysig iawn eich bod yn cofio dilyn rheol aur y newyddiadurwr sef:

- ❑ Dywedwch **Beth? Pwy? Ble? Pryd? Pam?** - *sef rhoi'r wybodaeth bwysig.*
- ❑ Rhowch y manylion - **Sut?** - *esboniad mwy manwl.*
- ❑ Ychwanegwch - *rhoi rhagor o wybodaeth eto.*
- ❑ Rhaid cael pennawd sy'n dal sylw.

CARCHAR I
CHWARAEWR
PÊL-DROED

- ❑ Defnyddiwch is-benawdau.

YMLADD
Bydd y seren enwog a sgoriodd fwy o goliau na neb arall yng nghystadleuaeth Cwpan Pêl-droed y Byd yn dechrau ei garchariad yn syth.

- ❑ Dyfynnwch yr hyn mae pobl yn ei ddweud am y digwyddiad.

Dywedodd Mr Edryd Thomas, bargyfreithiwr, wrth amddiffyn Jones, *"Cafodd Mr Jones ei bryfocio gan sylwadau gwawdlyd. Bai'r cefnogwr yw'r cyfan. Dyw Mr Jones ddim wedi ymosod ar neb erioed o'r blaen."*

- ❑ Defnyddiwch baragraffau byr o ddim mwy na dwy neu dair llinell.

Ar ôl yr achos Llys dywedodd Rheolwr Tîm Dinas Bangor, Sid Rees, *"Mae Dai Jones wedi cael cam a byddwn yn apelio yn erbyn y dyfarniad."* Yn ôl yr hanes cafodd Dai Jones groeso mawr gan y carcharorion yng ngharchar Abertawe ac mae sôn y bydd yn chwarae pêl-droed i dîm y carchar cyn hir.

DARLLEN

Darllenwch y papur newydd *Y Cymro* i chwilio am erthyglau diddorol.

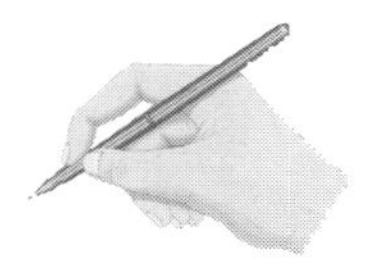

YMARFER

YSGRIFENNU EICH PAPUR NEWYDD EICH HUNAN

Gwnewch gynllun o'ch papur newydd gan ddangos maint y colofnau (dwy golofn neu dair), faint o le fydd i luniau, croesair, hysbysebion. Dyma enghraifft o un dudalen:

ENW'R PAPUR

PENNAWD

Roedd ddoe yn ddiwrnod trist iawn yn hanes y pêl-droediwr enwog Dai "Banana" Jones pan ddyfarnwyd ef i flwyddyn o garchar am gicio cefnogwr a thorri ei drwyn. Dywedodd y Barnwr Walter Rhydderch wrth ei ddedfrydu yn Llys y Goron yng Nghaerdydd fod yn rhaid ei gosbi er mwyn dangos i eraill nad oedd ymddygiad o'r math yma'n dderbyniol.

YMLADD

Bydd y seren enwog a sgoriodd fwy o goliau na neb arall yng nghystadleuaeth Cwpan Pêl-droed y Byd yn dechrau ei garchariad yn syth. Roedd cannoedd o gefnogwyr Dai Jones wedi dod i'r Llys ac roedd y Llys ei hun a'r strydoedd y tu allan yn orlawn o bobl yn gweddi, *"Banana am Byth!"*, *"Gadewch Dai'n rhydd!"*. Bu ymladd yn y stryd y tu allan rhwng cefnogwyr y pêl-droediwr a'r Heddlu ac arestiwyd deg o bobl.

LLUN

CAEL CAM

Ar ôl yr achos Llys dywedodd Rheolwr Tîm Dinas Bangor, Sid Rees, *"Mae Dai Jones wedi cael cam a byddwn yn apelio yn erbyn y dyfarniad.* Yn ôl yr hanes cafodd Mr Jones groeso mawr gan y carcharorion yng ngharchar Abertawe ac mae sôn y bydd yn chwarae pêl-droed i dîm y carchar cyn hir.

HYSBYSEB

- Trafodwch pa storïau a newyddion rydych chi am eu rhoi yn eich papur.
- Dosbarthwch y gwaith gan sicrhau bod tasg gan bawb. Bydd angen ymchwilio i ambell stori, tynnu lluniau, angen darllen y papurau lleol a gwrando ar y radio lleol.
- Defnyddiwch y llyfrgell. Mae llawer o wybodaeth - hen gopïau o bapurau, hanes yr ardal, hen luniau, llyfrau ar hanes lleol yn eich llyfrgell.
- Dylai dau neu dri fod yng ngofal dylunio'r papur a phenderfynu beth sy'n mynd ar y dudalen flaen a beth fydd maint y penawdau ac ati.
- Gallwch wneud copi drafft o'ch papur drwy ludio'r lluniau a'r erthyglau ar dudalen o'r un maint â'r papur terfynol.
- Cofiwch beidio â gwthio gormod o bethau ar un dudalen. Mae angen lle gwag ar dudalen i dynnu sylw.
- Trafodwch y papur gan geisio asesu ei gryfderau a'i wendidau.
- Rhaid apwyntio dau neu dri i ddarllen dros waith y lleill ac edrych ar y sillafu a chyfeirio at y Geiriadur. Mae *Geriadur yr Academi* yn llawn o eiriau ac ymadroddion defnyddiol am bethau cyfoes.

ADRODDIAD FFEITHIOL
CYFLWYNO TYSTIOLAETH

TYSTIOLAETH HEN ŴR

Roeddwn i yn y dre y bore yma yn cerdded lawr y Stryd Fawr ac fe welais i rywbeth rhyfedd. Roedd dyn yn cerdded ar y stryd yn cario bag ac fe ddaeth dyn barfog tu ôl iddo. Wedyn fe redodd y dyn barfog i ffwrdd.

TYSTIOLAETH MERCH IFANC

Roeddwn i'n dod allan o siop *Smiths* ar y Stryd Fawr ac fe welais i ddyn barfog a chap wedi'i wisgo am 'nôl yn mynd tu ôl i ddyn busnes mewn siwt a thynnu waled o'i boced ôl a rhedeg i ffwrdd. Fe redodd plismon ar ôl y dyn barfog ond methodd â'i ddal.

TYSTIOLAETH PLISMON

Roeddwn i'n cerdded ar hyd Stryd Fawr, Bangor, am ddeg o'r gloch fore dydd Llun 7fed Rhagfyr 1997 pan welais ddyn ifanc mewn trowsus glas a chrys glas yn ymddwyn yn rhyfedd. Roedd gan y dyn yma farf ddu ac roedd yn gwisgo cap coch gyda'i big am 'nôl. Fe aeth y dyn ifanc barfog tu ôl i ddyn busnes mewn siwt lwyd oedd yn cario bag busnes yn ei law. Tra roedd y dyn busnes yn edrych ar ei oriawr fe gipiodd y dyn ifanc waled frown o'i boced ôl. Wedyn fe redodd i ffwrdd i gyfeiriad y strydoedd cefn. Fe redais i ar ei ôl ond diflannodd yn y dorf. Fe gymerais enw'r dyn busnes sef Mr John Smith o Gaer. Dywedodd fod £300 yn y waled yn ogystal â chardiau credyd.

TRAFOD

Trafodwch y gwahaniaeth rhwng y tri adroddiad. P'un yw'r adroddiad gorau? Pam? Ceisiwch feddwl pa elfennau sy'n hanfodol i wneud adroddiad da yn cyflwyno tystiolaeth am ddigwyddiad.

SUT I YSGRIFENNU ADRODDIAD YN CYFLWYNO TYSTIOLAETH

Dyma'r elfennau pwysicaf wrth gyflwyno tystiolaeth am ddigwyddiad:

- ❑ Rhaid dweud **BLE** y digwyddodd y cyfan.
- ❑ Rhaid dweud **PRYD** y digwyddodd y cyfan.
- ❑ Rhaid rhoi disgrifiadau manwl o'r canlynol:

Trefn y digwyddiadau

wedyn	pan	ar ôl	cyn
am	wedi	hyd	tan
yn ystod			

Lleoliad y personau a'r digwyddiad

yn ymyl	tu ôl	dan	dros
uwchben	gerllaw	rhwng	gyferbyn
drwy	o flaen		

Disgrifiad manwl o'r cymeriadau

Disgrifiad manwl o wyneb y cymeriad.
Disgrifiad manwl o ddillad y cymeriad.
(Mae ansoddeiriau'n bwysig iawn wrth ddisgrifio.)

YMARFER

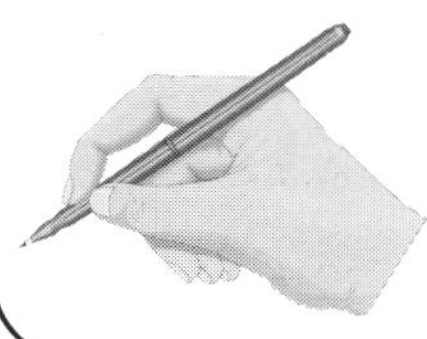

Actiwch olygfa arbennig lle mae trosedd cyffrous yn digwydd. Yna ewch ati yn unigol i ysgrifennu eich tystiolaeth chi, naill ai fel tyst, neu un o'r cymeriadau yn y digwyddiad. Ar ôl gorffen dylai pawb ddarllen eu tystiolaeth i'r grŵp i weld a yw'r dystiolaeth yn llawn ac yn gywir.

PARATOI ADRODDIAD

Pwrpas adroddiad yw creu darlun teg a chywir o sefyllfa er mwyn galluogi mudiadau, unigolion, pwyllgorau ac ati i wneud penderfyniad cywir ac i sicrhau eu bod yn gweithredu yn y ffordd fwyaf effeithiol. Dyma enghraifft o adroddiad a luniwyd yn mesur y galw am ysgrifenyddesau dwyieithog yn nhre Aberystwyth.

TASG NEU GYLCH GORCHWYL

Mesur y galw am weithwyr swyddfa dwyieithog yn Aberystwyth.

DULLIAU

Gwneud rhestr gyflawn o holl swyddfeydd y dre.
Llunio holiadur manwl a mynd i bob swyddfa a gwahodd pob swyddfa i lanw'r holiadur a'i ddychwelyd erbyn amser penodedig.
Dadansoddi canlyniadau'r arolwg.

DARGANFYDDIADAU

Cyfanswm y swyddi dwyieithog - 235.
Swyddi dwyieithog wedi'u llenwi - 203.
Swyddi dwyieithog yn wag - 32.

CASGLIADAU

Y Galw
Mae rhwng 23O a 235 o swyddi ysgrifenyddol yn gofyn am weithwyr gyda'r gallu i weithio drwy gyfrwng y Gymraeg yn ogystal â'r Saesneg yn Aberystwyth.

Y Cyflenwad
Roedd prinder gweithwyr gyda'r cymwysterau angenrheidiol i weithio yn yr iaith Gymraeg.
Roedd 32 o swyddi o'r math yma yn wag.

ARGYMHELLION

Gofyn i Ysgolion Uwchradd yr ardal a Phwyllgor Addysg y Sir ddarparu cyrsiau hyfforddi ysgrifenyddol dwyieithog yn yr ysgolion a'r Coleg Addysg Bellach.

3 Ionawr 1997

R.W. Morris
Ysgrifennydd y Gweithgor

SUT I BARATOI ADRODDIAD BYR

Trefnwch eich adroddiad fel hyn:

Teitl

- ❑ Dylai fod yn fyr ac yn rhoi darlun clir o'r pwnc.

Cylch Gorchwyl

- ❑ Esboniwch beth yw'r dasg sy wedi'i gosod i chi. Dylai'r adran yma gynnwys:
  - *Enw'r person sy wedi gofyn am yr adroddiad.*
  - *Amlinelliad o'r wybodaeth rydych chi i fod chwilio amdani.*
  - *Disgrifiad o sut a ble cawsoch chi'r wybodaeth.*

Eich darganfyddiadau

- ❑ Rhowch yn yr adran yma yr wybodaeth rydych chi wedi dod o hyd iddi. Gall yr adran yma gynnwys siartiau a diagramau yn ogystal ag ysgrifen.

Casgliadau

- ❑ Rhowch grynodeb o'r prif ddarganfyddiadau.

Argymhellion

- ❑ Awgrymwch sut mae delio â'r broblem a beth mae angen ei wneud nesaf.

Diweddglo

- ❑ Llofnodwch yr adroddiad a rhowch y dyddiad.

Geiriau ac Ymadroddion Defnyddiol

argymhellir
darparu
mwyaf effeithiol
rhataf
prinder
gormodedd
cyfanswm

ystadegau
gwerthiant
diogelwch
cyhoedd
gostyngiad
cynnydd
cadarnhau
penderfyniad

argymhellion
archwilio
cyfweliadau
dadansoddi
cofnodi
datrys y broblem
gweithredu

YMARFER

Ysgrifennwch adroddiad am un o'r canlynol:

Pwyllgor Llyfrgell yr Ysgol

1. Cynyddu'r defnydd o'r Llyfrgell drwy ddarganfod pam mae plant yn defnyddio/ddim yn defnyddio'r Llyfrgell.
2. Darganfod pa ddarpariaeth ychwanegol mae ei hangen yn y Llyfrgell i'w gwneud yn fwy defnyddiol a deniadol i'r plant.
3. Argymell pa newidiadau mae eu hangen i sicrhau mwy o ddefnydd o'r Llyfrgell.

Cyfeillion y Ddaear

1. Ymchwilio i'r modd y mae'ch ysgol chi'n ailgylchu defnyddiau megis papur, caniau ac yn y blaen.
2. Darganfod a oes modd i'r ysgol drefnu bod rhyw gorff cyhoeddus yn ailgylchu gwastraff yr ysgol.
3. Argymell dulliau o weithredu i sicrhau bod yr ysgol yn ailgylchu gwastraff.

Pwyllgor Diogelwch yr Ysgol

1. Darganfod pa beryglon sy ar safle'r ysgol a allai achosi damweiniau.
2. Gwneud asesiad o gost y newidiadau mae angen eu gwneud er mwyn sicrhau bod amgylchedd yr ysgol yn ddiogel.
3. Argymell newidiadau a chost y newidiadau hynny.

TRAFOD AC YMARFER

- Ar ôl gorffen eich adroddiad lluniwch sgwrs yn rhoi crynodeb o'ch darganfyddiadau a'ch argymhellion a'i chyflwyno i weddill y dosbarth.
- Yn eich sgwrs bydd rhaid dethol yr wybodaeth a'i chyflwyno'n syml.
- Defnyddiwch fapiau, diagramau a thaflunydd i esbonio'r wybodaeth.
- Dylai'r dosbarth drafod y sgwrs sy'n cyflwyno'r adroddiad a'r argymhellion gan nodi unrhyw gamgymeriadau, gwybodaeth anghywir, neu faterion y dylid bod wedi'u cynnwys.

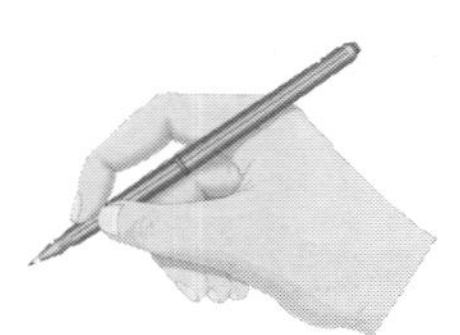

- Dylai'r dosbarth benderfynu a yw argymhellion yr adroddiad yn ddilys ac a ddylid symud ymlaen i weithredu ar sail yr adroddiad.

BWLETIN NEWYDDION

Noswaith dda - dyma'r newyddion,

Yn Saudi Arabia mae degau o bobl wedi cael eu lladd mewn gwersyll oedd yn cael ei ddefnyddio gan bererinion Islamaidd o bob cwr o'r byd a oedd ar eu ffordd i ddinas sanctaidd Mecca. Fe ledodd tân drwy'r pebyll yn y gwersyll. Credir mai pobl o Bacistan yw'r rhai a fu farw.

Daeth Gwylwyr y Glannau o hyd i werth miliwn o bunnau o gyffuriau mewn llong hwylio a aeth ar y creigiau ger Aberporth fore heddiw. Mae'r Heddlu yn apelio am wybodaeth ac yn awyddus i ddod o hyd i ddau ddyn a welwyd yn dringo'r clogwyn o'r fan lle'r aeth y llong hwylio ar y creigiau.

Cafodd deng mil o bunnau eu dwyn o Swyddfa Cymdeithas Adeiladu *Nationwide* yn Llandudno brynhawn ddoe. Bygythiwyd y staff gan ddyn arfog yn gwisgo mwgwd du. Mae'r heddlu'n chwilio am ddyn ifanc oedd yn gwisgo cot ledr ddu a jîns glas.

Cyhoeddodd Ysgrifennydd Gwladol Cymru, Mr Huw Edwards, fod cwmni o Siapan yn ystyried agor ffatri newydd yng Ngogledd Cymru. Mae'r cwmni, *Kawasaki*, yn cynhyrchu beiciau modur a disgwylir y bydd y ffatri newydd yn cyflogi pum cant o weithwyr.

Cafwyd hyd i gorff gwraig ugain oed yn ei chartref yn Llanelli y bore 'ma. Mae'r heddlu'n trin ei marwolaeth fel achos amheus, ac mae dyn yn ei bum degau wedi'i arestio. Disgwylir y bydd yn ymddangos gerbron ynadon y dre yfory.

Penderfynodd Awdurdod Addysg Gwynedd gau Ysgol Gynradd Bryndu ger Amlwch am ddeuddydd. Mae'r rhieni'n poeni am y petrol sy'n gollwng o dan ddaear o garej gerllaw'r ysgol. Dim ond llond dwrn o blant a ddaeth i'r ysgol y bore 'ma.

Mae'r Gymdeithas Gwarchod Adar yn poeni'n fawr am effaith y tywydd sych ar batrwm nythu adar wedi'r tân a ddinistriodd bedwar can erw yng nghoedwig Glandŵr ger y Bermo neithiwr. Mae'r Gymdeithas yn ofni y bydd rhagor o danau.

Chwaraeon - ac mae Caerdydd wedi ennill lle yn rownd derfynol Cwpan MacAlpine y tymor nesa drwy guro Watford o ddwy gôl i ddim. Sgoriwyd goliau Caerdydd gan Arwyn Bowen a Huw Williams.

Ac yn ola y tywydd. Bydd y gwasgedd uchel yn parhau ac fe fydd hi'n braf a heulog ymhob man yfory.

TRAFOD

Trafodwch y modd mae straeon yn cael eu dewis ar gyfer y Bwletinau Newyddion. Oes gormod o sylw yn cael ei roi i rai sefydliadau megis y Senedd, y Teulu Brenhinol, neu newyddion yr Heddlu. Ydy'r Bwletin yn deg a diduedd?

SUT I YSGRIFENNU BWLETIN NEWYDDION

Cynllun

- ❑ Cychwynnwch gyda'r eitemau pwysicaf.
- ❑ Rhowch baragraff i bob eitem.
- ❑ Rhowch fwy o fanylion yn yr eitemau pwysig nag yn yr eitemau llai pwysig.

Cynnwys

- ❑ Detholwch y ffeithiau'n ofalus.
- ❑ Defnyddiwch hanfodion y stori'n unig.

Arddull

- ❑ Defnyddiwch iaith syml ac uniongyrchol.
- ❑ Rhaid osgoi defnyddio dyfeisiau llenyddol ac ansoddeiriau di-angen.
- ❑ Defnyddiwch frawddegau byr gydag elfennau llafar.
- ❑ Defnyddiwch y dull anuniongyrchol o adrodd stori.
- ❑ Defnyddiwch eirfa ac ymadroddion arbennig.
  (Mae **dau** lyfryn *Geiriau'r Newyddion (Radio Cymru)* yn rhoi geirfa bwletinau.)

Berfau sy'n cael eu defnyddio'n aml ar ddechrau brawddeg:

Cafodd...	Dywed y...	Bydd...
Bu...	Galwodd...	Yn ôl...
Bu'n rhaid...	Fe fydd...	Dywedodd...
Cyhoeddwyd...	Yn Llys y Goron...	Dywed yr...
Cyhoeddodd...		

EITEM NEWYDDION AM Y SENEDD

Beirniadodd...	Is-etholiad	y Ceidwadwyr
Condemniodd... y llywodraeth am beidio...	Etholiad Cyffredinol	y Blaid Lafur
colli o un bleidlais	Aelodau Seneddol	y Democratiaid Rhyddfrydol
cyflwyno mesur	yn Nhŷ'r Cyffredin	Plaid Cymru
galw am refferendwm	yn Nhŷ'r Arglwyddi	Y Prif Weinidog
Yn ôl yr Ysgrifennydd Cartref byddai...	aelodau'r cabinet	arweinydd yr Wrthblaid
	y Llefarydd	sefyllfa economaidd

EITEM NEWYDDION AM OGLEDD IWERDDON

Yng Ngogledd Iwerddon
y Fyddin
y Gweriniaethwyr
yr Unoliaethwyr
ymosodiad mortar
ffrwydriad
dyfais

saethwyd dyn yn farw
bu ffrwydriad
anafwyd
Chafodd neb ei anafu
Dywedodd llefarydd ar ran y Fyddin
Dywedodd yr IRA mai nhw oedd yn gyfrifol am...

EITEM NEWYDDION AM ACHOS LLYS

Yn Llys y Goron dechreuodd yr achos yn erbyn...
Ymddangosodd... gerbon y llys ar gyhuddiad o...
Mae... wedi'i gyhuddo o...
Mae... yn gwadu'r cyhuddiad
wedi'i ryddhau ar fechnïaeth
rheithgor yn ystyried eu dyfarniad
Gorchmynnwyd ei gadw yn y ddalfa
Anfonwyd ef i garchar am chwe mis
Dedfrydwyd ef i... o garchar
Carcharwyd... am oes
dedfryd ohiriedig

llofruddio
ymosod yn anweddus
dwyn
lladrad arfog
treisio
prawf DNA
rheithgor
cyhuddiad
honiad
tystiolaeth
Barnwr

EITEM NEWYDDION AM DDAMWAIN CAR

bu farw
yn ddifrifol wael
yn dioddef o anafiadau difrifol
cael triniaeth
mewn damwain ffordd

ar ôl i'w gar daro yn erbyn...
niwl trwchus
ffordd yn llithrig
Mae'r heddlu yn apelio am dystion
gyrrwr/gyrwyr/injan dân/ysbyty

Y TYWYDD

Ac yn ola - y tywydd
Y tywydd i gloi
disgwylir...
Bydd y glaw yn lledu...
gwyntoedd yn chwythu o'r...
yn sych gyda chawodydd mewn mannau
braf ar y cyfan gydag ambell gyfnod heulog
ysbeidiau heulog
ar dir uchel

ledled Cymru
erbyn diwedd yr wythnos
yn para am o leiaf...
yn parhau tan ddiwedd yr wythnos
erbyn y prynhawn
yn y de-ddwyrain
tymheredd
gwasgedd uchel/isel

YMARFER

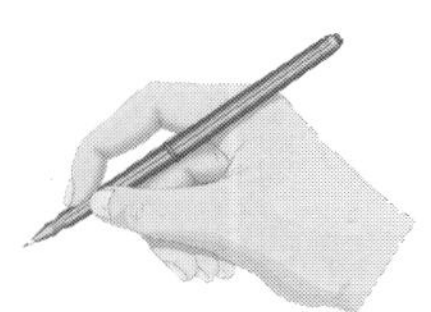

Rydych chi'n gweithio yn stafell newyddion Gorsaf Radio a'ch gwaith chi yw paratoi bwletin newyddion yn seiliedig ar yr adroddiadau sy'n dod i law:

- Rhaid i chi roi trefn ar yr eitemau.
- Golygwch ac ailysgrifennwch eitemau i'r maint priodol.
- Ysgrifennwch mewn iaith syml ac uniongyrchol.

Cafodd tri deg o bobl eu taro'n sâl ym Mhorthmadog ddydd Gwener. Roedden nhw i gyd wedi bod mewn angladd yn y dre ac wedi cael bwyd mewn gwesty lleol. Mae dau ohonyn nhw'n ddifrifol wael yn yr Ysbyty. Mae Cyngor Sir Gwynedd ac Awdurdod Iechyd Gogledd Cymru wrthi'n ymchwilio i'r mater. Dywedodd llefarydd ar ran yr Awdurdod Iechyd, "Fedrwn ni ddim bod yn sicr eto beth sy wedi achosi'r gwenwyno."

Bu'n rhaid i awyren lanio ar frys ym maes awyr Caerdydd ar ôl i ddau o'r teithwyr ddechrau ymladd. Roedd y dynion yn rhan o drip Clwb Rygbi Caerfyrddin oedd yn mynd i chwarae rygbi ym Mhatagonia. Boeing 707 oedd yr awyren. Bu oedi o ddwy awr ac roedd llawer o'r teithwyr eraill yn achwyn am yr oedi gan ddweud bod yr awdurdodau wedi methu datrys y broblem yn ddigon buan. Dywedodd un o'r teithwyr, Mr John Jones o Nebo, "Doedd dim eisiau arestio neb, oherwydd dim ond ychydig o hwyl diniwed oedd y cyfan." Arestiwyd y ddau ddyn gan yr heddlu.

Mae nifer fawr o drigolion tre Caernarfon gan gynnwys yr Esgob Ieuan ap Dewi wedi condemnio'r ffilm newydd *Uffern ar y Ddaear* fydd yn cael ei dangos am y tro cyntaf heno. Cafodd y ffilm ei lleoli yng Nghaernarfon. Mae'n sôn am gyffuriau a phlismyn anonest. Yn ôl yr Esgob mae'r ffilm yn portreadu ochr waetha bywyd. Dywedodd Maer Caernarfon, Wmffra Roberts, "Dydy pobol y dre hon ddim yn ymddwyn fel yna - mae'r ffilm yn rhoi darlun celwyddog o'r dre." Yn ôl y cwmni ffilmiau, Arian Cyflym, roedd y ffilm yn bortread realistig o'r dre heddiw.

Mae Cyngor Castell-nedd Port Talbot yn bwriadu cael gwared ar gant a hanner o swyddi er mwyn arbed arian. Bydd y gweithwyr yn gadael o'u gwirfodd neu'n ymddeol yn gynnar. Bydd y diswyddiadau yn ergyd drom i ardal sy wedi dioddef llawer o ddiweithdra a does dim gobaith gan y rhan fwya o'r gweithwyr i gael unrhyw swyddi eraill yn yr ardal. Dywedodd un o'r gweithwyr a gafodd ei ddiswyddo, "Mae hon yn ergyd galed. Rwy'n hanner cant a phwy sy eisiau dyn hanner cant?"

Mae trigolion a busnesau Treorci wedi codi £12,000 i dalu am ddeg o gamerâu diogelwch yng nghanol y dre. Mae canol y dre wedi bod yn broblem yn y gorffennol gyda llawer o ladrata yno yn y dydd ac ymladd ar y strydoedd yn y nos. Dywedodd llefarydd ar ran yr Heddlu, "Rydyn ni'n croesawu'r datblygiad, oherwydd fe fydd yn gwneud ein gwaith ni'n haws." Y gobaith yw y bydd llai o bobl yn troseddu yn yr ardal o hyn allan.

Ym Mangor fe gafodd dyn ifanc ei arestio a'i gyhuddo o lofruddio Sara Jones. Roedd Sara Jones yn ferch ysgol ddwy ar bymtheg oed ac ymosodwyd arni pan oedd yn dychwelyd o ddisgo yn y dre nos Sadwrn ddiwethaf. Roedd hi'n ferch ddawnus a phoblogaidd. Cafodd ei thrywanu yn ei chefn a'i gadael i farw ar y stryd. Roedd yr Heddlu wedi bod yn gwneud ymholiadau o dŷ i dŷ ers wythnos ac wedi gwneud prawf DNA ar nifer o ddynion oedd yn byw yn yr ardal. Mae Harry Wright yn wyth ar hugain oed ac yn dod o Fangor. Bydd yn ymddangos gerbron ynadon yfory.

Yfory fe fydd eira'n disgyn ar dir uchel yn y canolbarth a'r gogledd. Fydd yr eira ddim yn drwm iawn ond mae perygl iddo luwchio mewn rhai mannau os bydd y gwynt yn cryfhau yn ystod y nos. Bydd yn noson glir ac mae disgwyl iddi rewi. Dywedodd llefarydd ar ran yr Adran Dywydd, "Mae'n rhaid i bobl fod yn ofalus wrth deithio i'r gwaith bore yfory oherwydd gall fod tipyn o rew ar y ffordd am ei bod hi'n mynd i rewi'n galed heno."

Yng Ngogledd Iwerddon fe ddringodd nifer o garcharorion i ben to carchar Belfast. Ceisiodd yr Heddlu eu perswadio i ddod lawr. Gwrthododd y carcharorion symud ac roedden nhw wedi peintio sloganau oedd yn awgrymu eu bod yn protestio yn erbyn y modd maen nhw'n cael eu trin yn y carchar. Dywedodd Llywodraethwr y carchar, James Higgins, "Does dim brys arnon ni i'w cael nhw lawr. Fe fydd eisiau bwyd arnyn nhw cyn hir ac mae'n oer iawn ar y to yn y nos."

Cafodd Horeb, Capel yr Annibynwyr, ei losgi i'r llawr yn mhentre Glanaber neithiwr. Fe alwyd y Frigad Dân am hanner nos neithiwr ond roedd y tân yn rhy ddifrifol i'w atal. Symudwyd teuluoedd o dai cyfagos. Mae'r Heddlu yn amau mai fandaliaid oedd yn gyfrifol. Bu'r capel yn wag ers tair blynedd ac roedd yn cael ei ddefnyddio gan bobl ddigartref i gysgodi ynddo. Dywedodd y Parch. Gwilym Herbert, "Mae'n drist gweld addoldy yn cael ei ddinistrio fel hyn - does dim parch i ddim y dyddiau yma."

Fe syrthiodd un o wylwyr y glannau dros ochr y clogwyn ger Aberystwyth. Roedd mewn cerbyd ar y pryd ac yn gwneud ymarferion achub. Syrthiodd ddau gan troedfedd i'r môr. Llwyddodd i nofio i'r lan. Suddodd y cerbyd dan y tonnau. Mae'r gwyliwr a syrthiodd wedi mynd i Ysbyty Aberystwyth ond deëllir mai dim ond mân anafiadau a gafodd. Dywedodd Tom Huws, un o Wylwyr y Glannau, "Mae'n wyrth bod e byw. Roedd y môr yn arw. Roedd yn ffodus nad oedd wedi disgyn ar ben craig." Mae'n debyg i'r cerbyd lithro'n araf am gan llath ar y borfa wlyb cyn mynd dros ochr y clogwyn.

YMARFER

Gwrandewch ar y newyddion ar y radio ac ar y teledu am ddwy noson:

- Gwnewch recordiad neu gofnod o'r newyddion.
- Gan weithio mewn grŵp gwnewch ddadansoddiad o eirfa, ymadroddion a phatrymau pob eitem.
- Gan weithio'n ddeuoedd gwnewch fwletin newyddion i Orsaf Radio Leol.
- Darllenwch y Bwletinau'n uchel yn y Dosbarth gan drafod Bwletinau eich gilydd.

HYSBYSEB GWERTHU TAI

Gareth Lewis a'i Gwmni

CWMDU GER BRYN CASTELL

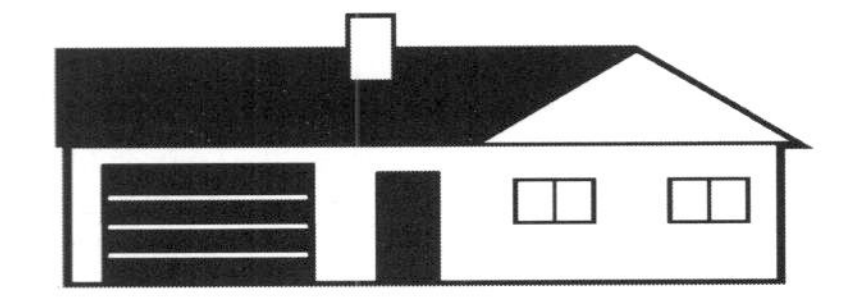

Byngalo ffrâm bren gyda'r waliau allanol o friciau. 2 stafell wely.
Gwydr dwbl. Lôn breifat a man parcio caled.
Lawnt tu blaen a gardd tu cefn.
Pris Gofyn: £52,500

PWLLGLAS GER ABERDYFI

Byngalo rhydd-ddaliad yn sefyll ar ei ben ei hun. 3 stafell wely. Tân glo a thrydan. Gwydr dwbl. Garej sy'n rhan o'r tŷ (addas i'w throi'n stafell). Lawnt a gerddi eang.
Pris Gofyn: £60,800

PLAS GWYN GER LLANDEILO

Plasdy deniadol iawn sy'n sefyll ar ei ben ei hun. 3 neu 4 stafell wely. Wedi'i inswleiddio drwyddo gyda waliau o friciau. Wedi'i leoli mewn lle dymunol gyda thiroedd eang a choed aeddfed mewn tua 2 erw o dir bras dyffryn Tywi. Mewn cyflwr ardderchog. Gwydr dwbl. Stablau.
Pris Gofyn: £142,500

TALGARTH GER GARNGOCH

Tŷ rhydd-ddaliad sy'n sefyll ar ei ben ei hun. 4 stafell wely. Wedi'i addurno drwyddo'n ddiweddar. Mewn lleoliad dymunol a llonydd. Tiroedd eang a braf. Gwresogi tanwydd caled a garej ddwbl. Pris gofyn: £89,500

SUT I WNEUD
HYSBYSEB GWERTHU TAI

Cynnwys

- ❑ Rhaid trosglwyddo gwybodaeth mewn ffordd gynnil a syml.

- ❑ Rhaid i'r disgrifiad nodi'r math o dŷ sy ar werth:
  byngalo ffrâm bren, byngalo rhydd-ddaliad, tŷ cerrig, castell hynafol.

- ❑ Rhaid rhoi manylion am nodweddion y tŷ:
  3 stafell wely, gwydr dwbl, newydd ei addurno drwyddo.

- ❑ Disgrifiwch y tu allan i'r tŷ a'i leoliad:
  lawnt tu blaen a thu cefn, mewn oddeutu 2.5 erw o dir coediog.

- ❑ Cofiwch ddweud beth yw pris y tŷ:
  Pris Gofyn: £89,000

Arddull

- ❑ Gallwch ddefnyddio nodiadau (heb ferf) yn hytrach na brawddegau cyfan:
  Mewn lleoliad dymunol a llonydd. Tiroedd eang a bras.

- ❑ Gallwch hepgor *Mae* fel hyn:
  Wedi'i leoli*'n dda.* ***Wedi'i addurno*** *drwyddo'n ddiweddar.*

- ❑ Gwnewch ddefnydd cynnil o ansoddeiriau:
  Byngalo ***modern, deniadol****, mewn lleoliad* ***dymunol.***

- ❑ Geiriau ac ymadroddion defnyddiol:

tŷ rhydd-ddaliad	gwres canolog	2 stafell wely	yn sefyll ar ei ben ei hun
tŷ cerrig	tân glo	cyntedd	wedi'i leoli mewn...
tŷ teras	gwydr dwbl	drws patio	o fewn cyrraedd i...
tŷ semi/tŷ pâr	wedi'i adnewyddu	lolfa	safle dymunol
byngalo	newydd ei addurno drwyddo	stafell haul	lawnt tu blaen a thu cefn
ffermdy	angen ei atgyweirio	cegin barod	safle parcio caled
bwthyn	mewn cyflwr da	stafell amlbwrpas	coed aeddfed
plasdy	cypyrddau mewnol	estyniad newydd	mewn 3 erw o dir bras

YMARFER

Gwnewch dudalen o hysbysebion yn gwerthu tai:

Dylai'r tai fod yn wahanol i'w gilydd i gyd: tŷ teras; tŷ hen ffasiwn; bwthyn; adfail; castell; plasdy; tŷ cyngor; byngalo modern; hen fyngalo; ffermdy; tafarn; gwesty; garej; siop bentre. Cofiwch wneud llun i gyd-fynd â'r hysbyseb.

HYSBYSEB RADIO

Hysbyseb Radio ***Cwmni Gwyliau Haul Hapus***

Cerddoriaeth ramantus yn toddi'n raddol.

Gwraig: Rydych chi wedi blino. Rydych chi'n gweithio'n galed.
Gŵr: Rydych chi'n haeddu gwyliau. Gwyliau yn yr haul. Gwyliau yn bell oddi wrth bob ffôn, pob bil, pob gofid.

Sŵn tonnau'n torri ar y traeth.

Gwraig: Caewch eich llygaid a dychmygwch y traethau melyn, y môr glas a'r tonnau'n torri'n wyn ar y traeth.

Sŵn tabyrddau brodorion yn y cefndir a phobl yn canu mewn iaith estron.

Gŵr: Nawr! Ie, nawr yw'r amser i drefnu'ch gwyliau. Peidiwch oedi! Ewch lawr at Gwmni Gwyliau Haul Hapus, Tre'r Coed, heddiw i drefnu'ch gwyliau.
Gwraig: Mae staff cwrtais cyfeillgar i'ch helpu i ddewis y gwyliau gorau i chi am y pris mwya rhesymol.
Gŵr: Cwmni Gwyliau Haul Hapus, Tre'r Coed, yw'r bobl sy'n trefnu'r cyfan i chi yn ddiffwdan.

Sŵn tonnau'n torri ar y traeth eto.

Gwraig: Gadewch y gwynt a'r glaw, ac i'r haul hedfanwch draw,
Ewch at Gwmni Gwyliau Haul Hapus, Tre'r Coed, i gael eich gwyliau gorau erioed.

Cerddoriaeth ramantus eto yn toddi'n raddol.

Hysbyseb Radio ***Beic Modur Pedair Olwyn***

Sŵn peiriant trwm yn chwyrnu'n uchel a sŵn newid gêr. Sŵn malu a thorri.

Llais: Mae dydd yr hen dractorau mawr wedi darfod. Rhaid symud gyda'r oes.
Mae pawb yn prynu beic modur pedair olwyn y dyddiau 'ma.

Sŵn grwnian hapus peiriant ysgafn motor beic pedair olwyn.

Llais: Fe all pawb yrru hwn - hyd yn oed taid! Fe fydd y wraig yn gallu crynhoi'r defaid gyda hwn, y mab yn ei ddefnyddio i fynd â gwair i'r gwartheg. Bydd pawb yn y teulu mor brysur yn ei ddefnyddio fyddwch chi'n lwcus i gael cyfle i fynd arno. Peidiwch oedi! Brysiwch! Prynwch un nawr!

Sŵn peiriant ysgafn beic modur pedair olwyn yn chwyrnu'n hapus ac yn newid gêr.

Llais: Cwmni Tractorau Teifi - gyda ni mae'r rhai mwya cyflym, mwya pwerus, y gorau. Mae gwasanaeth trwsio a gofal ardderchog gyda ni, eich cwmni lleol, Cwmni Tractorau Teifi.

Sŵn peiriant ysgafn beic modur pedair olwyn yn chwyrnu'n hapus a newid gêr.

Llais: Ffarweliwch â'r hen dractor, fydd dim o'i eisiau ragor,
Ar feic pedair olwyn newydd sbon, bydd eich byd yn hapus a llon.
I fynd dros bob bryn a phant, i wneud ffermio'n chwarae plant.
Beic Pedair Olwyn amdani o Gwmni Tractorau Teifi!

SUT I WNEUD HYSBYSEB RADIO

Pwrpas hysbyseb yw ceisio dylanwadu ar bobl. Mae llawer o dechnegau arddull yn cael eu defnyddio i wneud hyn. Dyma rai ohonyn nhw:

- ❑ Gorliwiwch y disgrifiadau.
  *Bydd eich tŷ yn edrych **fel palas** ar ôl ei beintio gyda **Gwyngot**.*

- ❑ Defnyddiwch gyflythreniad i ddal sylw.
  ***B**anana **b**ob **b**ore - **b**wyd **b**lasus i **b**awb.*

- ❑ Defnyddiwch ansoddeiriau i bwysleisio rhagoriaeth y cynnyrch.
  *Mae staff **cwrtais, cyfeillgar** i'ch helpu.*
  *Mae gwasanaeth trwsio a gofal **ardderchog** gyda ni.*

- ❑ Defnyddiwch radd eithaf yr ansoddair os bydd cyfle.
  *Y gwyliau **gorau** i chi.* Gyda ni mae'r rhai **mwya cyflym, mwya pwerus, y gorau**.

- ❑ Defnyddiwch ebychiadau.
  Meddyliwch! *Arbennig!*

- ❑ Rhaid ailadrodd er mwyn pwysleisio.
  Cwmni Gwyliau Haul Hapus... Cwmni Gwyliau Haul Hapus.

- ❑ Defnyddiwch odl i bwysleisio.
  *Ffarweliwch â'r hen dract**or**, fydd dim o'i eisiau rag**or**,*
  *Ar feic pedair olwyn newydd sb**on**, bydd eich byd yn hapus a ll**on**.*

- ❑ Defnyddiwch frawddegau byr trawiadol.
  Dyma'r amser i brynu car newydd. Rydych chi'n haeddu gwyliau.

- ❑ Cofiwch fod naws ac arddull arbennig i bob hysbyseb.
  Defnyddiwch gerddoriaeth ysgafn ramantus a lleisiau'n siarad yn araf ar gyfer hysbyseb gwyliau ond llawer o sŵn a lleisiau cyflym i hysbysebu car.

- ❑ Defnyddiwch leisiau ac acenion gwahanol yn eich sgript.

- ❑ Defnyddiwch effeithiau sain i greu naws arbennig.

YMARFER

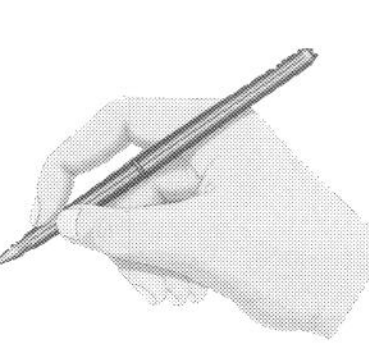

Gwnewch ddau o'r hysbysebion radio canlynol: hysbysebu arwerthiant mewn siop ddillad menywod/tractor newydd/persawr drud, soffistigedig/archfarchnad.

- ◆ Ysgrifennwch eich sgript yn gyntaf.
- ◆ Wedyn recordiwch y cyfan ar dâp gan ddefnyddio effeithiau sain.

ARAITH

RHAID ADFER Y GOSB EITHAF

gan Nia Jones

Mr Cadeirydd a Chyfeillion, Rwy yma heddi' i geisio'ch perswadio chi ei bod yn rhaid adfer y Gosb Eithaf yn ein gwlad. Fe ataliwyd crogi yn 1965, ac rwy'n credu ei bod hi'n hen bryd i ni adfer crogi, y Gosb Eithaf, fel rhan o Ddeddf Gwlad.

Mae'n amlwg i bawb fod cymdeithas yn troi'n fwy treisiol bob dydd. Aeth llawer o bobol i feddwl bod perffaith hawl 'da nhw i ymosod yn gorfforol ar bobol eraill a hyd yn oed eu lladd. Mae bywyd dynol yn cael ei ystyried yn ddiwerth. Mae llofruddiaeth yn cael ei hystyried ar yr un lefel â pharcio ar y llinell felen ar y stryd. Ydych chi wedi gwrando ar y newyddion neu ddarllen papur yn ddiweddar heb glywed am lofruddiaeth neu drais? Naddo, siŵr iawn. Ydy hi'n iawn, gyfeillion, bod plant, gwragedd a hen bobol yn ofni cerdded ein strydoedd ac, yn wir, ddim yn ddiogel yn eu cartrefi hyd yn oed? Os 'yn ni am adfer rhyddid i'n cymdeithas, mae'n rhaid rhoi cosb sy'n ddigon llym i wneud i droseddwyr ailfeddwl cyn llofruddio neb. Crogi neu'r Gadair Drydan yw'r unig ateb.

Erbyn heddi', mae llawer iawn o heddlu a gwleidyddion yn cytuno bod rhaid cael rhyw ffordd i wneud i'r troseddwr feddwl ddwywaith cyn cyflawni trosedd. Rwy'n credu y byddai'r lleidr yn meddwl ddwywaith cyn cario gwn ar gyfer lladrata o'r banc os byddai'n gwybod y byddai'n cael ei grogi am ladd. A beth am y rhai sy'n mygio hen bobol a'u hanafu'n gas, mor gas nes eu bod nhw'n aml yn marw o'u hanafiadau, a hynny ddim ond am ychydig bunnoedd o'u pensiwn, er mwyn cael arian i brynu cyffuriau? Mae'n rhaid i'r bobol 'ma sylweddoli nad yw cymdeithas yn mynd i ddioddef dim rhagor o'r llofruddiaethau erchyll yma.

Ffrindiau, 'ych chi ddim yn cytuno bod llofrudd yn haeddu marw? Mae'n wir bod rhai llofruddiaethau yn digwydd o dan straen emosiynol neu feddyliol, ac rwy'n fodlon maddau a pheidio â chrogi neb sy wedi llofruddio o dan yr amgylchiadau 'ma. Ond pan fydd dihiryn fel Peter Sutcliffe, y *Yorkshire Ripper,* yn mynd allan mewn gwaed oer yn unig swydd i ladd un person ar ôl y llall, ac yn dangos dim edifeirwch am ei droseddau, dydy rhoi oes yng ngharchar iddo ddim yn ddigon o gosb.

Mae meddwl am lofruddion fel Myra Hindley ac Ian Brady a laddodd chwech o blant bach, diniwed, ac yn waeth fyth eu poenydio'n greulon am amser hir cyn eu lladd, yn cael bywyd eithaf cysurus mewn carchar a chael bwyd da, gwylio teledu, darllen a hyd yn oed chwaraeon yn codi arswyd arnaf. Pa hawl sy gan y bobol 'ma i fyw pan mae'r plant bach diniwed wedi marw cyn iddyn nhw ddechrau byw? Mae'r posibilrwydd y gall y bobol 'ma ryw ddydd ailymuno â chymdeithas gan fyw'n agored yn ein mysg yn warthus.

Ar y funud mae llofrudd fel arfer yn cael ei ddedfrydu i flynyddoedd maith o garchar, ond mae hyn yn golygu y gall gael ei ryddhau ar ôl dim ond un mlynedd ar ddeg os bydd wedi ymddwyn yn dda yn y carchar. Mae hyn yn golygu y gall llofrudd gael ei ryddhau rywbryd yn y dyfodol a mynd allan a llofruddio rhywun diniwed eto. Cafwyd nifer o achosion o lofrudd yn cael ei ryddhau ac yn aildroseddu ac yn llofruddio eto. Ond rhaid i ni sicrhau na fydd hyn yn digwydd! Yr unig ffordd o wneud hynny yw defnyddio'r Gosb Eithaf.

A meddyliwch am y gost. Mae'n costio miloedd o bunnoedd i gadw pobol am oes mewn carchar. Byddai adfer y Gosb Eithaf yn golygu bod angen llai o garchardai, llai o swyddogion carchar, a llai o gost i'r wlad. Gyfeillion, peidiwch â meddwl 'mod i'n rhyw eithafwr sy allan am waed pawb sy'n torri'r gyfraith. Yr hyn rwy'n ei ddweud yw fod yn rhaid i bawb sylweddoli mater mor ddifrifol yw lladd person arall. Rhaid i ni ailsefydlu sancteiddrwydd bywyd. Os bydd pethau'n mynd mlaen fel y maen nhw ar hyn o bryd bydd ein cymdeithas wedi suddo nôl i fywyd barbaraidd ac anifeilaidd yn gyflym iawn, gyda phawb yn mynd allan i brynu dryll 'run fath ag yn America er mwyn ei amddiffyn ei hun a'i deulu. Fel y dywedais, 'dwy i ddim am grogi pob llofrudd, ond rwy'n credu y dylid adfer crogi, y Gosb Eithaf, a'i defnyddio pan fydd rhywun wedi llofruddio mewn gwaed oer.

Diolch yn fawr am eich sylw, a gobeithio 'mod i wedi'ch deffro i'r gwirionedd trist fod yn rhaid i ni, er mwyn diogelu cymdeithas a bywyd gwâr, adfer y Gosb Eithaf.

PERYGL YNNI NIWCLEAR

gan Dafydd Williams

Mr Cadeirydd ac Annwyl Gyfeillion,
Fedrwn ni yn yr oes hon ddim byw heb ynni. Mae angen ynni arnon ni mewn diwydiant ac yn ein cartrefi, i deithio, coginio, a gwresogi. Ar hyn o bryd mae olew a glo yn cael eu defnyddio i gynhyrchu ynni, ond mae ffynonellau ynni'r byd yn lleihau'n gyflym. Oeddech chi'n gwybod mai dim ond tua 30 o flynyddoedd o olew, a thua 300 mlynedd o lo sy ar ôl yn y byd?

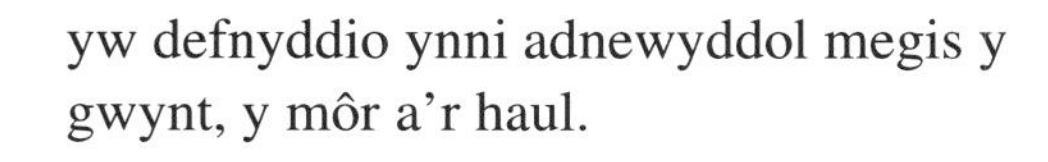

Felly, gyfeillion, mae rhaid darganfod ffordd newydd o gynhyrchu ynni. Un ateb i'r broblem yw defnyddio ynni adnewyddol megis ynni'r haul, ynni'r môr ac ynni'r gwynt. Ateb arall yw ynni niwclear. Ond rhaid gofyn y cwestiwn - ydy ynni niwclear yn ddiogel? Er 'mod i wedi dod 'ma heddi' i siarad yn erbyn ynni niwclear mae'n rhaid i mi gyfadde' bod ynni niwclear yn effeithiol iawn. Mae un tunnell o wraniwm yn cynhyrchu mwy o ynni nag 20,000 tunnell o lo! Ond gyfeillion, fyddech chi ddim yn cytuno bod ein diogelwch ni a diogelwch yr amgylchedd yn llawer mwy pwysig nag effeithiolrwydd?

Rhaid cofio bod pwerdai niwclear yn cynhyrchu llawer o wastraff peryglus. Y broblem fawr yw beth i'w wneud gyda'r gwastraff 'ma am ei fod yn berygl i'r amgylchedd am filoedd a miloedd o flynyddoedd. Oherwydd ei fod mor ymbelydrol, yr unig le diogel i'w roi yw o dan y ddaear. Ond rwy'n gofyn i chi o ddifri', oes unman yn ddigon diogel i gladdu'r gwastraff yma? Fe fydd yr ymbelydredd yn parhau am filoedd o flynyddoedd ac yn effeithio ar ddyfodol y blaned. Mae'n ddigon posib y gallai daeargryn ryddhau'r ymbelydredd i'r amgylchedd neu i'r cyflenwad dŵr. O ganlyniad byddai miloedd o bobol yn marw o gancr. Rhaid i ni gofio bod pwerdai glo ac olew yn cynhyrchu gwastraff gwenwynig hefyd. Felly, gyfeillion, yr unig ffordd ddiogel o gynhyrchu ynni heb lygru'r amgylchedd yw defnyddio ynni adnewyddol megis y gwynt, y môr a'r haul.

Fe ddywedodd y gwyddonwyr fod ynni niwclear yn hollol ddiogel, ac nad oedd siawns i'r pwerdai ffrwydro. Ond rwy'n gofyn i chi, beth sy wedi digwydd ers hynny? Dwy ddamwain ddifrifol iawn, ie, dwy! Y gynta yn *Three Mile Island* yn America a'r ail yn *Chernobyl* yn Rwsia. Ac felly, gyfeillion, rwy'n gofyn i chi a ddylen ni ymddiried yn y gwyddonwyr? Cafodd y ffrwydriadau effaith ddychrynllyd a bu farw cannoedd o bobol. Hyd yn oed heddi' mae pobol yn marw o gancr a lewcemia o ganlyniad i'r trasiedïau hyn, ac mae babanod yn cael eu geni wedi'u hanffurfio. Roedd y ddamwain yn Chernobyl wedi achosi niwed filoedd o filltiroedd i ffwrdd - fe wenwynodd ddefaid yng Ngogledd Cymru hyd yn oed.

Felly gyfeillion, rwy'n gofyn i bob un ohonoch chi 'ma heddi' i feddwl o ddifrif - os ydy damwain yn Rwsia yn effeithio ar ddefaid yng Ngogledd Cymru - beth fyddai effaith damwain o'r fath yma yng Nghymru? Ond nid damwain yw'r unig berygl gyda Phwerdai Niwclear. Ers blynyddoedd bu llawer o bobol yn gofidio ynglŷn â'r bibell sy'n cludo'r gwastraff niwclear o Orsaf Windscale i'r môr. Mae'r gwastraff yma'n ymbelydrol iawn ac o ganlyniad mae Môr Iwerddon yn cynnwys y lefel uchaf o ymbelydredd yn y byd, ac mae llawer o bysgod yn marw. Gall yr ymbelydredd gael ei gludo i'r lan gan y tonnau. O ganlyniad, mae deg gwaith cymaint â'r lefel genedlaethol o lewcemia yn y plant sy'n byw yn ardal Windscale. O fewn chwe milltir i Windscale fe ddaeth pobol o hyd i lwch plwtoniwm mewn cartref; cafodd dwy ŵydd eu geni wedi'u hanffurfio; a bu farw dau gi o gancr. Gyfeillion, 'ych chi ddim yn cytuno bod y ffeithiau 'ma'n frawychus?

Ffynhonnell ynni arall bosib yw ynni adnewyddol, megis yr haul, y môr, a'r gwynt. Mae digonedd o'r ynni yma ac mae'n rhad, yn ddiwastraff, a dyw e ddim yn llygru'r amgylchedd. Yr unig anfantais gyda'r dull yma o gynhyrchu ynni yw nad yw e ar hyn o bryd yn effeithiol iawn. Efallai mai un rheswm am hynny yw prinder arian ar gyfer ymchwil. Ond er hyn, mae ynni o'r haul yn edrych yn addawol a'r unig gwestiwn yw, a oes digon o haul yng Nghymru? Gallwn harneisio ynni'r gwynt drwy ddefnyddio melinau gwynt. Ar Ynysoedd Erch (Orkney) yn yr Alban maen nhw'n cynhyrchu'u trydan i gyd drwy ddefnyddio'r dull 'ma, ac erbyn hyn mae melinau gwynt mewn sawl ardal yng Nghymru. Yr unig broblem gyda defnyddio'r dull 'ma yw'r ffaith fod nerth a chyfeiriad y gwynt yn gyfnewidiol iawn yn y wlad 'ma. Felly gyfeillion, efallai mai'r dull mwya addawol yw ynni o'r llanw. Mae'r llanw yn ddibynadwy iawn, ac mae eisoes yn cael ei ddefnyddio i gynhyrchu llawer o drydan yn Ffrainc. Felly, mae dyfodol ynni adnewyddol yn edrych yn addawol iawn.

Rwy'n siŵr eich bod yn cytuno bod rhaid cael gwared ar bwerdai glo ac olew. Mae'r rhain yn achosi llygredd ofnadwy sy'n achosi glaw asid a hefyd rhaid cofio bod nifer o gemegion pwysig mewn glo ac olew ac felly mae'n wastraff eu llosgi. Ond, gyfeillion, y cwestiwn mawr yw, beth ddefnyddiwn ni yn lle glo ac olew? Rwy'n sicr eich bod chi i gyd yn cytuno bod ynni niwclear yn rhy beryglus. Wrth feddwl am y miloedd o bobol sy'n dioddef oherwydd damwain Chernobyl fedrwn ni ddim cefnogi'r dull yma. Yr unig ddewis yw ynni adnewyddol. Ie, ynni adnewyddol yw'r unig ateb.

Mae ynni adnewyddol yn ddull rhad, ac mae digonedd ohono a dyw e ddim yn llygru'r amgylchedd. Yr unig gwestiwn yw, a yw'r dull yma'n ddigon effeithiol i ateb problemau ynni'r byd? Yn Ffrainc, maen nhw'n cynhyrchu trydan o ynni'r llanw, ac yn America mae ynni'r gwynt yn llwyddiant mawr. Mae hyn yn dangos ei bod hi'n bryd i'r Llywodraeth yn y wlad 'ma ddilyn esiampl Ffrainc ac America a rhoi mwy o arian i waith ymchwil ar gyfer ynni adnewyddol. Felly gyfeillion, mae rhaid i ni ddod at ein gilydd a galw ar y Llywodraeth i wneud hyn os 'yn ni eisiau byw mewn byd glân a diogel.

Allan o areithiau gan Catrin Evans

Dyma'r prif ddyfeisiau rhethregol:

Ailadrodd

Dyna'n gwendid ni'r gweithwyr - methu sefyll gyda'n gilydd. Rhaid i ni gael *Undeb* yn y pwll 'ma. *Undeb* i edrych ar ôl eich hawliau chi a fi. *Undeb* fydd yn gofalu bod pob gweithiwr yn cael cyflog teg. *Undeb* fydd yn gofalu bod y pwll yn lle diogel. *Undeb* fydd yn sicrhau ein bod ni'n cael oriau gwaith teg. Hyd nes cawn ni *Undeb* fydd dim gobaith i'r glowyr. Mewn *Undeb* mae nerth.

YMARFER

◆ Gwnewch baragraff o araith yn cynnwys ailadrodd.

Cwestiynau Rhethregol

Mae nifer y twristiaid yng Ngheinewydd wedi cynyddu'n aruthrol. Ond, *pa effaith* mae'r cynnydd hwn yn ei gael ar y gymdeithas leol? *Pa effaith* mae'n ei gael ar y bobol sy'n byw yn yr ardaloedd twristaidd drwy'r flwyddyn? *Onid* twristiaeth sy wrth wraidd yr holl ddiboblogi a diweithdra yng ngefn gwlad ?

* * * * * * * * * *

Fe gafodd ffrind i mi ei ladd yn y pwll glo 'ma ddoe. *Pam? Oedd raid* i'r peth ddigwydd? Nac oedd. Diffyg diogelwch a'i lladdodd e, meddech chi. Ie. Ond *pwy oedd* yn gyfrifol am ei farwolaeth e mewn gwirionedd? *Onid* y meistri a'i lladdodd e? *Onid* trachwant y meistri am elw ac arian a'i lladdodd e? *Ac onid* yw hi'n hen bryd i ni roi gwybod i'r meistri nad 'yn ni ddim yn mynd i ddiodde' rhagor?

YMARFER

◆ Gwnewch baragraff yn cynnwys Cwestiynau Rhethregol.

Defnyddio hiwmor

Meddyliwch am y problemau mae twristiaeth ormodol yn eu hachosi! Ar ddiwrnod braf maen nhw i gyd yn llifo wrth y cannoedd i Geinewydd ac i lawr i'r traeth. Does dim lle i chi roi eich pen-ôl i lawr ar y traeth, heb sôn am folaheulo, ac os byddwch chi'n ddigon lwcus i gael llathen fach sgwâr i chi'ch hunan gallwch fentro y daw rhyw labwst mawr swnllyd difoesau a'i wraig a phump o blant, ei fam yng ngyfraith a'i fam-gu a gosod eu hunain lawr ar eich pen chi!

YMARFER

◆ Gwnewch baragraff yn cynnwys hiwmor.

Enghreifftiau trawiadol

Gyda'r holl garafanau yn y Cei meddyliwch am y garthffosiaeth! Mae'n rhaid iddyn nhw i gyd fynd i'r tŷ bach a beth sy'n digwydd i hwnnw wedyn? Wel, mi ddweda' i wrthoch chi - mae e i gyd yn cael ei arllwys mewn i'r môr! Maen nhw'n dweud bod y pibau carthffosiaeth yn mynd mas yn ddigon pell i'r môr fel nad oes dim yn dod nôl mewn gyda'r llanw, ond bob haf mae yna fochyndra yn nofio ar wyneb y dŵr. Ac os byddwch chi'n nofio yng Ngheinewydd ac yn gweld lwmpyn mawr brown o'ch blaen peidiwch ag agor eich ceg yn rhy llydan - rhag ofn!

YMARFER

◆ Gwnewch baragraff yn cynnwys cyffelybiaethau trawiadol.

Apelio at emosiwn y gwrandawyr

Rydych chi i gyd yn fy adnabod i - un ohonoch chi ydw i. Rwy'n gwybod 'run fath â phob un ohonoch chi faint o uffern yw'r pwll glo 'na. Rydyn ni wedi gweld dyn ifanc yn cael ei ladd yn y pwll 'na ddoe. Un ohonon ni oedd e. Beth sy'n mynd i ddigwydd i'w weddw ifanc druan? A beth am y ddau blentyn bach? Beth fydd eu dyfodol nhw?

* * * * * * * * * * * *

Ydy'r baban yn y groth yn wahanol mewn unrhyw fodd i unigolyn wedi'i eni? Nac ydy! Mae'r baban yn tyfu ac yn datblygu - yn ddeuddeg wythnos oed mae e'n medru teimlo poen, sugno ei fawd, cicio ei goesau. Pan fydd yn cael ei erthylu bydd ganddo gorff fel chi a fi - bysedd, coesau, breichiau, wyneb bychan? Sut gallwn ni ganiatáu i feddyg lofruddio'r person yma - a'i alw'n erthyliad?

YMARFER

◆ Gwnewch baragraff yn llawn o apêl emosiynol cryf.

Bod yn ddramatig ac apelio'n uniongyrchol at ei gynulleidfa gan ddefnyddio gorchmynion

Chi, ferched sy'n dal i fod o blaid erthyliad, *peidiwch* meddwl eich bod chi'n gallu cael erthyliad heb boen a dioddefaint.

Felly, *gyfeillion, rhaid i ni* ddod at ein gilydd.

Chi, y bobol gyffredin, yw'r unig rai all ddatrys y broblem. Felly, *meddyliwch* am yr hyn sy wedi cael ei ddweud yma heddiw. *Ewch* adref a *gweithredwch*. Nawr, *dangoswch* yn glir i'r Llywodraeth beth yw'ch barn chi.

YMARFER

◆ Gwnewch baragraff lle'r ydych chi'n apelio at y gynulleidfa ac yn defnyddio gorchmynion.

Defnydd helaeth o ymadroddion atodol

a dweud y gwir	wrth reswm	yn bersonol	felly
a dweud y lleiaf	at ei gilydd	yn ddiau	ar y llaw arall
heb amheuaeth	chwarae teg	yn gyffredinol	eto i gyd
gwaetha'r modd	yn sicr	yn wir	yn ôl pob tebyg
os caf ddweud	heb os nac oni bai	serch hynny	

GEIRIAU AC YMADRODDION DEFNYDDIOL

Cyffredinol

Yn fy marn i
Does dim amheuaeth
Teimlaf yn gryf
Mae'n hen bryd
Fel y gŵyr pawb
Rwy'n siŵr y cytunwch
Mae'n amlwg
Mae'n anodd credu

Ymosod ar ddadleuon yr ochr arall

malu awyr
ffeithiau anghywir
taflu llwch i'n llygaid ni
does dim synnwyr
dadlau'n annheg
heb ateb ein dadl
ymosodiad di-sail
dadl ffals
camddehongli ffeithiau
yn anfaddeuol
camliwio
ddim yn wynebu ffeithiau
ddim yn ddarlun teg
afresymol
camresymu
gwyrdroi'r gwir
yn warthus
rhagfarn
amherthnasol
celwydd noeth
gorliwio

Ebychiadau

Does bosib!
Sothach!
Duw a'n gwaredo!
Gwarthus!
Choelia i fawr!
Ffolineb llwyr!

Gorchmynion

Peidiwch
Cofiwch
Gofalwch
Cymharwch
Ystyriwch
Gwnewch
Meddyliwch
Ewch

Cyfarch

gyfeillion
ffrindiau
chi 'ma heno
Mr Cadeirydd

Cwestiynau

Ydych chi?
Pryd?
Sawl?
Oes?
Pwy?
Onid?
Sut?

YMARFER

Gwnewch araith ar un o'r pynciau yma:

- *Dylai pawb gefnogi dyfodiad melinau gwynt i gefn gwlad Cymru.*
- *Gwastraff amser yw mynd i ysgol a choleg.*
- *Rhaid dod nôl â'r gansen i'r ysgolion a chosbi troseddwyr yn llymach.*
- *Mae hela'r cadno yn farbaraidd.*

SUT I YSGRIFENNU ARAITH

Adeiladwaith

- ❑ Trefnwch eich dadl yn ofalus a rhesymegol.
- ❑ Trefnwch eich pwyntiau yn baragraffau. Dylai pob paragraff ddelio ag un pwynt neu syniad, ac adeiladu at uchafbwynt ar ddiwedd y paragraff.
- ❑ Cadwch eich prif ddadl tan y diwedd a gorffen yr araith yn gryf.

Cynnwys

- ❑ Rhaid darllen yn eang am y pwnc a dethol y ffeithiau perthnasol. Ofer yw dadlau heb y ffeithiau i gefnogi ac i brofi eich dadl.
- ❑ Rhaid i chi roi lle yn eich araith i gydnabod dadleuon yr ochr arall, ac wedyn ceisio eu gwrthbrofi yn effeithiol a phendant.

Arddull

- ❑ Ceisiwch ddychmygu eich hunan yn dweud yr araith wrth ysgrifennu, bydd hyn yn help i chi gael arddull syml, uniongyrchol.
- ❑ Defnyddiwch arddull sy'n debyg iawn i iaith lafar, ac iaith syml a llithrig.
- ❑ Ailadroddwch er mwyn pwysleisio.
- ❑ Gofynnwch gwestiynau rhethregol.
- ❑ Defnyddiwch enghreifftiau neu gyffelybiaethau trawiadol.
- ❑ Cyfeiriwch eich sylwadau yn uniongyrchol at y gynulleidfa.
- ❑ Gwnewch ddefnydd helaeth o ymadroddion atodol.

PAMFFLED

Mae'r wybodaeth wedi'i chyflwyno'n syml ac uniongyrchol. ✔

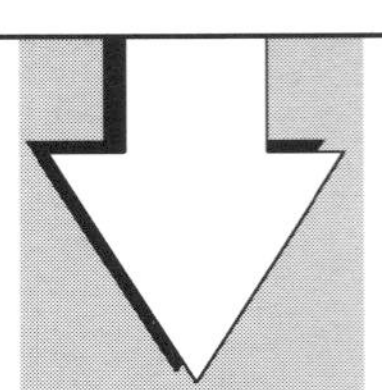

Defnyddir dadleuon cryf er mwyn ceisio dylanwadu arnoch chi. ✔

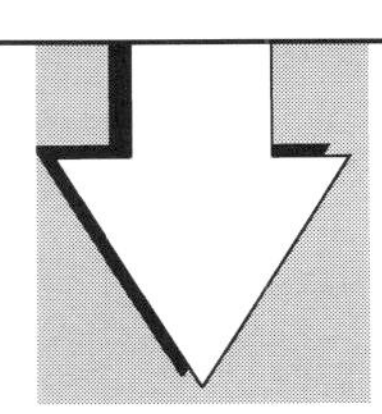

1. MEDDWL AM ROI'R GORAU IDDI

Y cwestiwn pwysig ydy: ydych chi o ddifrif eisiau rhoi'r gorau iddi? Dibynna popeth ar eich ateb gonest i'r cwestiwn hwn. Penderfynwch eich bod am roi'r gorau iddi ac fe wnewch. Fe ddarganfu llawer o bobl pa mor hawdd oedd hi unwaith yr oeddynt wedi gwneud eu penderfyniad.

I'ch cynorthwyo i benderfynu meddyliwch am yr hyn a enillwch trwy roi'r gorau i ysmygu.

Y MUNUD HWN

- ☐ Byddwch yn ymryddhau o grafangau arferiad drud a niweidiol iawn.
- ☐ Bydd gennych rhwng £5 a £10 yn rhagor o arian yn eich poced bob wythnos.
- ☐ Bydd gwell arogl arnoch. Bellach ni bydd gennych anadl drewllyd na bysedd a dannedd gyda staen arnynt.
- ☐ Byddwch yn teimlo'n well ac yn anadlu'n rhwyddach — er enghraifft wrth fynd i fyny'r grisiau neu redeg i ddal y bws.
- ☐ Cewch wared â'r boen o feddwl eich bod efallai'n eich lladd eich hun.

Meddyliwch am yr arian fyddwch chi'n ei arbed

AR GYFER Y DYFODOL

- ☐ Cewch wared â'ch peswch ysmygu.
- ☐ Fe gewch lai o annwyd a salwch.
- ☐ Cewch osgoi'r peryglon a wynebir gan ysmygwyr.

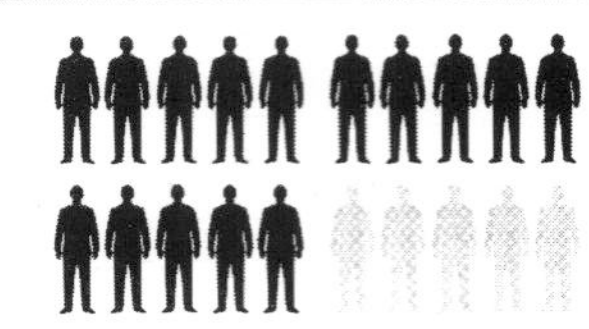

Bydd tua chwarter y dynion ifanc sy'n ysmygu yn cael eu lladd cyn eu hamser gan dybaco

Gallai llawer o bobl a laddwyd gan ysmygu fod wedi byw 10, 20 neu hyd yn oed 30 o flynyddoedd ychwanegol. Ar gyfartaledd, cyll pobl a leddir gan ysmygu 10 i 15 mlynedd o'u bywydau. O blith 1,000 o ddynion ifanc sy'n ysmygu, fe gyll tua 6 ohonynt eu bywydau ar y ffyrdd ond fe leddir tua 250 cyn eu hamser gan dybaco.

Mae merched sy'n ysmygu tra'n feichiog yn fwy tebygol o golli'r baban, neu ei eni cyn ei amser neu'n rhy ysgafn ei bwysau.

Os rhowch chwi'r gorau i ysmygu cyn cael canser neu afiechyd difrifol y galon neu'r ysgyfaint yna fe arbedwch bron yr holl beryglon o farw neu o ddioddef methiant corfforol a ddaw yn sgîl ysmygu.

TEULU A FFRINDIAU

Unwaith y byddwch wedi rhoi'r gorau i ysmygu bydd eich teulu a'ch ffrindiau ar eu hennill.

- ☐ Byddant yn mwynhau awyrgylch lanach.
- ☐ Bydd yn brafiach o lawer bod yn eich cwmni. Cofiwch y slogan 'Sws heb smôc sy'n swyno'r wefus.'
- ☐ Mae plant sy'n byw mewn tai lle nad oes mwg yn llawer llai tebygol o gael annwyd a hyd yn oed niwmonia.
- ☐ Os nad ydych chi'n ysmygu mae'ch plant yn llai tebygol o ysmygu.
- ☐ Er mai'r ysmygwr ei hun sy'n wynebu'r prif beryglon mae eraill sy'n cyd-fyw ag ysmygwr yn fwy tebygol o gael afiechydon y frest.

Cyn belled ag yr ydych chi, eich teulu a'ch ffrindiau yn y cwestiwn dechreuwch fwynhau manteision rhoi'r gorau i ysmygu y diwrnod cyntaf y rhowch yr arfer heibio a bydd y manteision yn parhau trwy gydol yr amser wedyn.

2

Sylwch ar y darluniau dramatig i greu effaith. ✔

Sylwch ar y paragraffau byr, y pennawd bras, a'r is-benawdau. ✔

SUT I YSGRIFENNU PAMFFLED

- Prif bwrpas pamffled yw ceisio dylanwadu arnoch chi mewn rhyw ffordd neu'i gilydd - i newid eich barn, i gefnogi rhyw achos, i roi arian i ryw elusen neu i brynu rhyw nwyddau.

- Cyflwynwch yr wybodaeth neu'r dadleuon yn y pamffled yn syml a chlir.

- Dyma rai o nodweddion pamffled:

  - *paragraffau byr*
  - *sloganau*
  - *penawdau bras*
  - *defnyddio is-benawdau*

- Rhaid i chi ddefnyddio dadleuon cryf a mynegi emosiwn cryf er mwyn dylanwadu ar bobl.

- Defnyddiwch ddarluniau dramatig i greu effaith.

- Cofiwch fod cynllun eich pamffled yn bwysig iawn. Meddyliwch yn ofalus am y cynllun, y penawdau, y sloganau, a'r lluniau rydych chi am eu defnyddio yn eich pamffled.

DARLLEN

Casglwch gymaint ag y gallwch o bamffledi Cymraeg. Trafodwch y casgliad o bamffledi gan sylwi ar y ffordd maen nhw wedi'u cynllunio. Trafodwch pa bamffledi sy orau a pham.

YMARFER

Gwnewch bamffled ar un o'r pynciau hyn:

- Pamffled i gerddwyr - *Parchu Cefn Gwlad.*
- Pamffled yn gwrthwynebu codi ffatri trin carthion yn eich ardal chi.
- Pamffled yn dadlau yn erbyn creulondeb i anifeiliaid.
- Pamffled *Rhaid i chi Chwerthin* yn perswadio pobl i beidio â bod yn ddiflas.
- Pamffled yn dadlau dros ddinistrio pob peiriant.

DEWCH I EWRO DISNEY

gan Iwan Morgan

Mae pum gwlad gyffrous yn disgwyl amdanoch chi!

Prif Stryd America
Yma, rydyn ni'n troi'r cloc nôl i chi gael gweld tre fach slawer dydd yn America. Bydd peiriant ager yn yr orsaf i'ch cludo i'r dre. Wedyn, gallwch fynd am dro ar hyd y siopau hen ffasiwn. Gallwch deithio fel byddai eich hen, hen dad-cu'n teithio mewn hen gert yn cael ei dynnu gan geffyl.

Gwlad Dychymyg
Dyma'r wlad lle mae cymeriadau o fyd y dychymyg yn dod yn fyw - cymeriadau o fyd llyfrau a ffilmiau. Fe gewch chi gyfle i gwrdd â Peter Pan, Eira Wen a'r Saith Corrach, Mici'r Llygoden, Donald yr Hwyaden a llawer mwy. Bydd y plant wrth eu bodd yn y wlad yma.

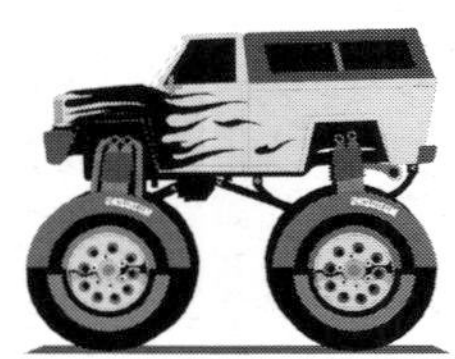

Gwlad Darganfyddiad
Dyma fyd rhyfeddol yw hwn - byd y dyfeisiau, hen a newydd. Ewch am dro ym mheiriant hedfan Leonardo da Vinci. Cewch gyfle i weld Fideopolis sy'n cynnig adloniant i'r teulu yn y dydd ac ewch i glwb dawnsio yn y nos.

Gwlad y Ffin
Dyma gyfle i chi gael cipolwg ar Wlad y Ffin - mentro i fyd yr "Indiaid Cochion", y Rhuthr Mawr am Aur a byd yr anturiaethwyr a'r arloeswyr cynnar. Beth am hwylio lawr yr afon ar yr agerlong *Mark Twain,* neu weld llond tŷ o fwganod - 999 o fwganod a dweud y gwir!

Gwlad Antur
Un o'r lleoedd mwyf poblogaidd yn Ewro Disney yw Gwlad Antur. Yma, defnyddir Technoleg Awdio Animatronig. Cewch gyfle i weld Capten Hook a dwy long o fôr-ladron yn ymosod ar borthladd. Wedyn beth am fynd am dro drwy'r Basâr dwyreiniol allan o *Gant ac Un o Nosweithiau*?

Nawr yw'r Amser!

Dewch nawr i Ewro Disney. Profiad a fydd yn newid eich bywyd! Rydyn ni wedi dewis pump o'r gwestai mwyaf moethus ym Mharis i chi aros ynddyn nhw - pob un yn gyfleus i Ewro Disney.
Felly, dewch nawr i gael profiad ysgytwol - profiad cynhyrfus.
Dewch i Ewro Disney!

Prisiau

Mae pris llety yn amrywio o £150 i £350 am dair noson ac o £ 375 i £550 am bum noson. Y pris yn Ewro Disney am ddau ddiwrnod yw £60 yr un i oedolion a £50 yr un i blant.

AM FWY O WYBODAETH AM EWRO DISNEY CYSYLLTWCH Â:
GWYLIAU LLAWEN I BAWB, CAERDYDD FFÔN - 01222 123456

SUT I YSGRIFENNU TAFLEN HYSBYSEBU GWYLIAU

Pwrpas

❑ Prif bwrpas taflen hysbysebu gwyliau yw'ch perswadio chi i fynd ar wyliau i le arbennig.

Nodweddion

❑ Defnyddiwch baragraffau byr.

❑ Ailadroddwch er mwyn pwysleisio.

❑ Crëwch ddarlun rhamantus, deniadol.

❑ Defnyddiwch benawdau bras.

❑ Defnyddiwch is-benawdau.

❑ Defnyddiwch ddarluniau deniadol i greu effaith.

❑ Rhowch yr wybodaeth angenrheidiol - ffeithiau am brisiau ac ati.

Cynllun

❑ Cofiwch fod cynllun eich taflen yn bwysig iawn.
Meddyliwch yn ofalus am y cynllun, y penawdau, ailadrodd, creu darlun rhamantus, a'r lluniau deniadol rydych chi am eu defnyddio yn eich taflen.

TRAFOD

Trafodwch y modd y mae'r daflen am Ewro Disney yn defnyddio dyfeisiau megis ailadrodd, creu darlun deniadol, lluniau ac ati i greu effaith.

YMARFER

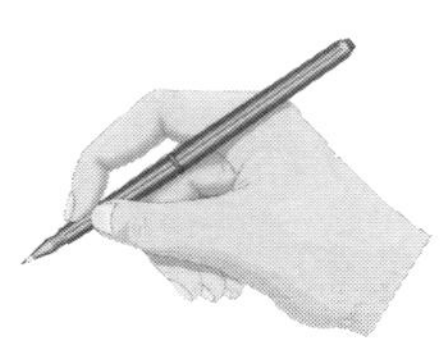

Gwnewch bamffled twristiaeth yn ceisio denu twristiaid i un o'r canlynol:

- Rhywle yn eich ardal chi.
- Gwersyll yr Urdd Glan-llyn.
- Canolfan Wyliau Enwog.

PAMFFLED ETHOLIAD

Pamffled ar gyfer Etholiad Ysgol

Mari Jones   Plaid Pawb

Rwy'n dod o bentre Llanrug. Rwy'n ddisgybl yn y chweched dosbarth. Chwaraeais hoci i'r ysgol ac rwy'n Gapten y tîm hoci eleni. Rwy'n weithgar iawn gyda'r Urdd, ac yn cynnal Clwb Dawnsio ar ôl yr ysgol bob wythnos i'r plant iau. Credaf ei bod yn bwysig fod merched yn cymryd rhan mewn bywyd cyhoeddus. Os etholwch chi fi fe fyddaf i'n gwneud fy ngorau drosoch chi.

Llais i Ddisgyblion

Ar hyn o bryd does gan blant yr ysgol hon ddim llais o gwbl yn rheolaeth yr ysgol. Rwy'n bwriadu newid hyn drwy greu Senedd i'r Disgyblion. Bydd y Senedd yma yn lle i leisio syniadau a datrys problemau. Bydd y Senedd yn cynnwys dau aelod etholedig o bob blwyddyn (un bachgen, un merch). Bydd gan y Senedd yma rym gwirioneddol i orfodi athrawon i wrando ar lais y disgyblion.

Defnyddio'r Dechnoleg Fodern yn Well

Dydy'r ysgol yma ddim yn gwneud y gorau o'r dechnoleg fodern. Trwy fy ethol i, Mari Jones, byddwch yn sicrhau bod yr ysgol hon yn cael y ddarpariaeth dechnolegol fwya modern. Bydd pob plentyn yn cael cyfle i ddefnyddio'r We. Mae'n hollbwysig fod hyn yn digwydd, oherwydd bydd defnyddio'r dechnoleg fodern yn rhan bwysig o waith y rhan fwya o bobl yn y dyfodol. Bydd yn sicrhau bod gwell siawns gyda chi i gael gwaith a gwell swydd yn y dyfodol.

Creu Swyddi

Drwy fy ethol i, Mari Jones o Blaid Pawb, byddwch yn pleidleisio i Blaid sy'n awyddus i greu mwy o swyddi i bobl ifanc. Byddwn yn gorfodi pawb i ymddeol yn 50 oed. Byddwn hefyd yn rhoi cyfle i bobl ifanc gael prentisiaeth mewn gwaith. Ar hyn o bryd mae llawer o bobl ifanc yn methu cael swyddi ar ôl gorffen eu haddysg.

Yr Amgylchedd

Trwy bleidleisio i Blaid Pawb byddwch yn sicrhau bod yr ysgol yn cyfrannu mwy tuag at y frwydr i ddiogelu'r amgylchedd. Bydd yn rhaid i bob athro deithio i'r ysgol ar fws, trên neu ar feic. Bydd yn rhaid i'r ysgol ddefnyddio paneli sy'n defnyddio gwres yr haul i wresogi'r ysgol a pheidio â defnyddio tanwydd drud. Byddwn yn sicrhau bod caniau yn cael eu hailgylchu a bod yr holl bapur sy'n wastraff hefyd yn cael ei ailgylchu.

Yr Hawl i Ddewis

Byddaf yn sicrhau bod gan bob disgybl fwy o hawl i ddewis ei bynciau nag sy ar hyn o bryd. Byddwn yn defnyddio'r dechnoleg fodern i ddysgu pynciau newydd diddorol megis Seicoleg a Chymdeithaseg. Bydd cwrs gorfodol ar gyfer pawb yn rhoi manylion llawn am Addysg Ryw ac Addysg Gyffuriau. Dydy'r dull presennol o esgus bod dim problemau gyda phobl ifanc ddim yn gweithio.

Mae'n amser newid yr ysgol hen ffasiwn yma! Felly pleidleisiwch i -	**Mari Jones**	**X**

SUT I YSGRIFENNU PAMFFLED ETHOLIAD

- ❑ Prif bwrpas pamffled etholiad yw'ch perswadio chi i gefnogi person a phlaid arbennig.
- ❑ Cyflwynwch yr wybodaeth neu'r dadleuon yn y pamffled yn syml ac yn glir.
- ❑ Dyma rai o nodweddion pamffled etholiad:
  - *paragraffau byr*
  - *sloganau*
  - *defnyddio is-benawdau*
- ❑ Rhaid i chi ddefnyddio dadleuon cryf a rhoi rhesymau pendant pam y dylai pobl eich cefnogi chi yn hytrach na rhywun o blaid arall.
- ❑ Rhaid i chi roi polisïau pendant gerbron er mwyn ennill cefnogaeth. Dylai'r polisïau fod yn rhai poblogaidd fydd yn apelio at bobl.
- ❑ Cofiwch fod cynllun eich pamffled yn bwysig iawn. Meddyliwch yn ofalus am y cynllun, y penawdau, y sloganau a'r dadleuon a'r polisïau rydych chi am eu rhoi yn eich pamffled.

❑ Un o nodweddion arddull pamffled etholiad yw defnydd aml o'r Amser Dyfodol:

Byddaf yn gwneud fy ngorau drosoch chi.
Bydd y Senedd yma...
Trwy ethol Mari Jones **byddwch** yn sicrhau...
Byddwn hefyd yn rhoi cyfle i bobl ifanc...
Bydd gan bob disgybl fwy o hawl i ddewis ei bynciau.
Byddaf yn ymladd i sicrhau...

YMARFER

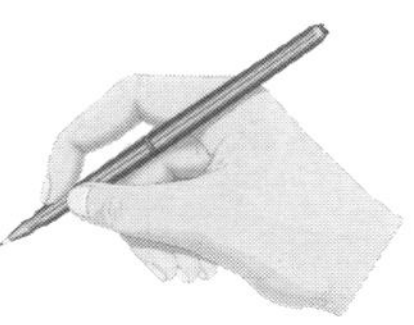

Ysgrifennwch bamffled etholiad gan ddewis un o'r canlynol:

- ◆ *Pamffled etholiad sy'n ddoniol ac abswrd.*
- ◆ *Pamffled ar gyfer etholiad ysgol.*
- ◆ *Pamffled ar gyfer etholiad i Gyngor Cymuned neu Sir.*

TRAETHAWD BARN

HAWLIAU GWRAGEDD

gan Catrin Owens

Ar ôl canrifoedd o ymladd am ei hawliau beth yw safle'r wraig mewn cymdeithas yn y byd modern? Ydy'r wraig mewn siwt yn rhedeg y swyddfa wedi disodli'r wraig mewn ffedog sy'n gaeth wrth y sinc? Yn anffodus, er yr holl sôn a sŵn am hawliau merched, ychydig iawn o newid sy wedi bod yn statws merched. Mae merched yn dal yn israddol.

Mae'r dyn heddiw, fel erioed, yn credu y dylai'r wraig fod yn ufudd a gostyngedig - yn cynhesu sliperi'r dynion; gwneud cacennau a jam; glanhau'r tŷ a golchi'r llestri; yn wir yn gwneud unrhyw waith nad yw'r dyn eisiau'i wneud. Heddiw, fel erioed, mae merched yn cael eu paratoi i fod yn israddol i'r dyn; eu dysgu i wneud gwaith tŷ; gwnïo a gwau a magu plant. Er i'r ferch gyfoes wneud llawer o ffys am ei hawliau mae'n dal i wneud y pethau hyn.

Rhaid cyfaddef bod safle'r wraig wedi gwella, a hynny oherwydd brwydro cyson yn ein cyfnod ni dros hawliau cyfartal i ferched. Slawer dydd, pan roddwyd addysg i blant cyffredin am y tro cynta roedden nhw'n credu nad oedd pwrpas addysgu merched, a bechgyn yn unig oedd yn cael addysg. Dim ond can mlynedd sy ers i fyfyrwyr Rhydychen (bechgyn wrth gwrs) gerdded y strydoedd mewn protest pan gafodd y ferch gynta ei derbyn i'r Brifysgol. Yna, yn 1906, ar ôl i'r merched cynta fynd drwy'r Brifysgol a graddio'n feddygon roedden nhw'n gorfod dioddef rhagfarn cymdeithas am eu bod yn wragedd ac nid yn ddynion. Hyd yn oed heddiw rydyn ni'n meddwl am y dyn fel y meddyg a'r ferch fel y nyrs. Dim ond oherwydd ymdrechion dewr y swffragetiaid ar ddechrau'r ganrif hon a'u protestiadau dewr a'u merthyrdod dros achos merched mae statws merched wedi gwella.

Does dim amheuaeth fod y Rhyfel Byd Cyntaf wedi agor drysau i wragedd. Pan oedd y dynion yn y Lluoedd Arfog, dangosodd y merched eu bod yn gallu gwneud gwaith dynion mewn swyddfeydd, ffatrïoedd, rheilffyrdd, ar y bysiau, gyda'r heddlu, yn bostwragedd, yn cario glo ac yn gweithio ar y tir. Gyda'r dynion allan o'r ffordd fe gafodd merched gyfle i brofi eu bod yn gallu gwneud gwaith dynion lawn cystal os nad yn well na nhw. Wrth wneud swyddi dynion adeg y rhyfel cafodd merched gyfle i brofi am y tro cyntaf eu bod yn haeddu cael eu trin yn gyfartal â dynion.

Yn sgîl gwaith merched adeg y rhyfel pasiwyd deddf yn 1918 yn rhoi'r hawl i ferched dros 30 oed bleidleisio, os oedden nhw'n briod, yn ddeiliaid tai, neu'n raddedigion Prifysgol. Roedd hyn yn gam mawr mlaen, ond roedd rhaid aros deng mlynedd arall cyn i bob merch dros un ar hugain oed dderbyn yr un hawl. Deng mlynedd o frwydro ffyrnig. Yn ystod eu hymgyrch cafodd merched eu trin yn gas gan yr heddlu a'r cyhoedd. Rhaid cofio na fyddai gennym ni ferched heddiw yr hawl i bleidleisio mewn Etholiad Cyffredinol yn 18 oed oni bai am y brwydro caled yma.

Un o'r pethau gorau sy wedi digwydd yn ein cyfnod ni yw fod gwragedd bellach wedi ceisio torri'n rhydd o'r stereoteip roedd dynion wedi'i greu iddyn nhw. Mae gwragedd erbyn hyn yn rhydd, yn ddeallus, yn soffistigedig ac yn medru cystadlu â dyn ar yr un telerau unrhyw ddiwrnod. Ond er waethaf hyn mae'r teledu a'r cyfryngau yn mynnu darlunio gwragedd mewn rôl israddol, y stereoteip o wraig, yn enwedig mewn hysbysebion. Sawl gwaith rydych chi wedi gweld dyn yn ateb y drws i *Her Carreg y Drws* y powdwr golchi *Daz*? Sylwch y tro nesa ar hysbysebion glanhau - llais dyn (y gwyddonydd neu'r arbenigwr!) yn egluro sut mae'r powdwr golchi'n gweithio a llun y fenyw fach druan yn rhwbio â'i holl egni! Pwy sy bob amser yn paratoi'r pryd bwyd yn yr hysbysebion bwyd?

Un o'r pethau gwaetha ynglŷn â'r modd y mae merched yn cael eu portreadu gan y wasg a'r cyfryngau yw'r modd mae'r ferch yn cael ei darlunio fel gwrthrych rhywiol. Defnyddir merched rhywiol siapus i werthu pob nwydd dan haul. Yn waeth fyth, mae'r syniad taw gwrthrych rhywiol yn unig yw merch heb ymennydd na phersonoliaeth yn cael ei greu gan luniau tudalen tri y papurau tabloid lle dangosir merched hanner noeth. Mae'r cyfan hyn yn diraddio statws ac urddas y wraig fel person, person cyfartal.

Profodd gwragedd ein cyfnod ni eu bod yn abl i wneud unrhyw waith y gall dyn ei wneud a dringo i'r swyddi ucha ymhob gwlad. Dangosodd Margaret Thatcher, Mrs Gandhi a Golda Meir fod modd i wraig fod yn Brif Weinidog ac arweinydd gwlad. Yn yr etholiad diwetha etholwyd nifer fawr o wragedd i Dŷ'r Cyffredin a dyma'n sicr y tro cynta i wragedd gael lle amlwg yng nghoridorau San Steffan. Ond eto, er hyn, dyw'r sefyllfa ddim yn foddhaol o bell ffordd. Mae gwragedd ar y cyfan yn dal i weithio am gyflogau is, yn dal i gael eu cadw allan o'r swyddi ucha. Cyn cyrraedd y brig mewn unrhyw faes rhaid i'r ferch weithio'n llawer mwy caled na dyn er mwyn profi ei bod yn medru gwneud y gwaith. Enghraifft dda o styfnigrwydd dynion i wrthod hawliau cyfartal i ferched oedd styfnigrwydd yr Eglwys yn gwrthod ordeinio merched. Dim ond ar ôl llawer o ddadlau ac oedi y cafodd y ferch ei lle yn yr Eglwys.

Mae'r darlun o'r wraig yn rhedeg y tŷ yn rhy fyw o lawer ym meddyliau pobl o hyd. Pam na all gwragedd gyfuno swydd gyda gwaith tŷ, gan ofalu bod y gŵr yn gwneud ei ran, a beth sy o'i le ar fathu geiriau newydd fel "gŵr y tŷ"! Bu un cam calonogol mlaen pan fynnodd gwragedd fod swyddi yn cael eu hysbysebu'n deg a chyfartal ac fe grëwyd geiriau newydd megis "Cyfarwyddydd" yn lle "Cyfarwyddwr".

Daeth yn hen bryd i ni hefyd roi heibio'r syniad mai'r dyn sy'n dewis gwraig. Dyna'r syniad traddodiadol, y dyn yn dewis ei wraig, y dyn yn gwneud y cam cyntaf, y dyn yn gofyn i'r ferch fynd allan, y dyn yn gofyn am ei llaw. Mae'n drist meddwl bod yna wledydd yn y byd lle gorfodir merch i briodi'r dyn y mae ei theulu wedi'i ddewis iddi. Felly bu hi ers amser Branwen druan - Bendigeidfran yn gorfodi Branwen i briodi Matholwch - dyna drasiedi hanes y ferch yng Nghymru a llawer gwlad arall ar hyd y canrifoedd. Diolch byth, mae gan y ferch yr hawl i ddewis drosti'i hun yng Nghymru. Ond mae'r hen syniad cul yn bodoli o hyd fod yn rhaid i ferch briodi - a bod merch sy ddim yn priodi yn wahanol. Onid yw'n hen bryd i ni herio'r syniad yma a hawlio i ferch y rhyddid i fyw heb ddyn os yw hi eisiau? Dim sanau brwnt, neb yn chwyrnu yn y gwely a neb i wneud annibendod yn y tŷ - dyna nefoedd i lawer ohonon ni fyddai hynny!

Rhaid annog y ferch fodern i sicrhau mai hi sy'n dewis y dyn - os yw eisiau dewis dyn o gwbl. Rhaid i'r ferch fodern sicrhau mai partner ydyw - cyfartal ymhob ffordd. Ein dyletswydd ni ferched yw sicrhau nad yw dynion yn ein gormesu mewn unrhyw ffordd. Mae hyn y golygu dim rhagor o stereoteipio merched fel paratowyr prydau bwyd a golchwyr dillad a llestri. Dim rhagor o egsploetio merched ar y cyfryngau ac yn y wasg drwy eu darlunio fel gwrthrychau rhywiol. Rhaid i'r wraig fodern fod yn gyfartal â'r dyn yn y gwaith ac yn y cartref. Rhaid cael gwared ar y syniad mai'r dyn sy'n dewis gwraig a derbyn mai'r wraig sy bellach yn dewis ei gŵr. Os na fyddwn ni ferched yr ugeinfed ganrif yn brwydro i sicrhau'r pethau hyn, yna fe fyddwn yn dal yn gaeth ac yn ddim gwell na Branwen neu wraig yr ogof gynt a fydd ein statws cyfartal yn ddim ond geiriau gwag diystyr.

Os yw am fod yn rhydd, rhaid i'r ferch fodern nid yn unig losgi ei bra, ond dinistrio unwaith ac am byth y stereoteipiau traddodiadol o'r ferch - y wraig tŷ uwchben sinc a'r wraig nad yw'n ddim ond gwrthrych rhywiol ar dudalen tri y wasg dabloid.

PERYGL Y FIDEO TREISIOL

gan Glyndwr Harris

Yn sgîl achos llofruddiad James Bulger, llofruddiad plentyn bach gan ddau blentyn arall, mae llawer o ddadlau wedi bod ynglŷn â pheryglon y ffilm a'r fideo treisiol. Does dim amheuaeth fod dylanwad ac effaith ffilmiau treisiol ar blant yn niweidiol iawn.

Mae pob plentyn yn dynwared gweithredoedd oedolion - rhieni, ffrindiau ac arwyr ffilmiau. Yn ôl y seicolegwyr, dynwared eraill yw'r brif ffordd y mae plentyn yn dysgu unrhyw beth. Mae cymeriadau ac arwyr ar ffilm a fideo yn bobl y mae'r plentyn yn eu hefelychu'n reddfol. Yn anffodus does gan blentyn ddim profiad a synnwyr moesol a chydwybod datblygedig fel oedolyn a dyw e ddim yn sylweddoli effaith gweithredoedd treisiol. Rhyw fath o gêm ddiniwed yw trais i'r plentyn.

Astudiwyd y berthynas rhwng teledu a thrais gan nifer o bobl yn America a'u casgliad unfrydol nhw oedd fod perthynas achos ac effaith rhwng trais ar y teledu a thrais mewn bywyd bob dydd. Yn anffodus, mae cymdeithas wedi dewis cau ei llygaid ar y ffaith yma. Dim ond nawr, ar ôl llofruddiaeth plentyn gan blant, mae sylw dyladwy yn cael ei roi i'r mater. Mae'n amlwg wrth wylio plant yn chwarae bod teledu a ffilmiau yn cael dylanwad mawr arnyn nhw. Bob dydd mae plant yn dynwared arwr maen nhw wedi'i weld ar ffilm. Fe geir hanes am fachgen deg oed a drywanodd fachgen arall ddau ddiwrnod wedi iddo wylio ffilm yn dangos trywanu. Cyfaddefodd y plentyn mai efelychu'r fideo roedd e'n ei wneud. Ceir llawer iawn o achosion o'r math yma ac yn anffodus maen nhw ar gynnydd.

Rhaid i rieni gymryd mwy o gyfrifoldeb dros eu plant. Gwaetha'r modd, mae plant yn ein hoes ni yn fwy unig a diamddiffyn nag erioed o'r blaen. Mae'r teulu erbyn hyn yn ynysig gyda'r perthnasau yn aml yn byw'n rhy bell i gynnig dim cymorth, a does neb i helpu'r rhieni i ofalu am y plant. Mae'r sefyllfa'n waeth fyth ar blentyn sy'n dod o gartre un-rhiant. Ar aelwyd felly mae perygl i'r plentyn droi at y teledu fel ei unig gwmni a chysur. Heb reolaeth ar y mathau o ffilmiau fideo y mae plant yn medru eu gwylio mae'r plant yma'n agored i ddylanwadau niweidiol ffilmiau creulon sy'n dangos trais a sadomasociaeth. Unig bwrpas y ffilmiau yma yw gwneud elw drwy ddangos golygfeydd sioclyd o greulondeb a thrais. Yn anffodus, mae plant yn derbyn y cyfan yn anfeirniadol gan feddwl bod ymddygiad o'r fath yn dderbyniol. Mae plant sy'n emosiynol ansefydlog yn fwy agored fyth i ddylanwad drwg y fideo treisiol.

Yr unig ateb yw ceisio atal y fideo treisiol rhag cyrraedd aelwydydd lle mae plant. Rhaid ceisio cael mesur yn ei gwneud hi'n anghyfreithlon i werthu neu logi unrhyw fideo sy'n dangos trais diangen a gormodol. Ond rhaid i ni fynd ymhellach na hyn ac atal y gêmau cyfrifiadur sy'n portreadu trais ac yn annog y plant i gymryd rhan mewn lladd a llofruddio. Yn hytrach na dangos realaeth creulon rhyfel mae rhai gêmau fideo yn rhamantu trais. Fe ddywedodd cynrychiolydd y cwmni Milton-Bradley, gwneuthurwyr y gêm *Fortress America*, "Ein bwriad ni yw creu gêm dda, a does gyda ni ddim diddordeb mewn portreadu realiti." Os yw'r plant yn mynd i

feddwl bod trais a lladd yn bethau rhamantus, pa obaith sy gan gymdeithas y dyfodol i oresgyn y problemau sy gyda ni yn ein cymdeithas nawr? Fe fydd y lladd ar y sgrîn yn troi'n lladd ar y stryd.

Gan fod mwy o beiriannau fideo ym Mhrydain ar gyfartaledd nag mewn unrhyw wlad arall mae'n anodd iawn cadw golwg ar y mathau o ffilmiau sy'n mynd i dai pobl. Rhaid i ni gyfaddef nad mater rhwydd yw rheoli'r hyn mae plant yn ei wylio. Mewn astudiaeth ddiweddar dywedwyd bod 40% o blant rhwng 7 a 17 oed wedi gweld o leiaf un fideo treisiol. O ystyried cynnwys y ffilmiau mae'n warthus meddwl bod plant mor ifanc â saith oed yn gallu gweld y trais a'r creulondeb a bortreadir mewn ffilmiau treisiol. Fedr y plant ddim amddiffyn eu hunain, felly dyletswydd cymdeithas yw eu hamddiffyn nhw rhag cael eu hegsploetio fel hyn gan wneuthurwyr fideo sy â'u bryd ar wneud elw. Ein dyletswydd ni yw amddiffyn diniweidrwydd y plentyn. Pa bwrpas sy i'n hysgolion meithrin, ein hysgolion cynradd, ein hysgolion uwchradd, ein colegau, ein capeli a'n heglwysi os ydyn ni'n caniatáu i'n plant weld y pethau hyn?

Os na wnawn ni weithredu i ddeddfu ar y mater yma i reoli'r farchnad mewn ffilm a fideo a gêmau fideo treisiol yna bydd ein plant eu hunain yn difa'i gilydd drwy drais am i ni, drwy ein hesgeulustod, eu troi'n dreisiol. A yw dyfodol cymdethas wâr yn bosibl os byddwn ni'n parhau i fwydo meddyliau plant gyda'r sbwriel treisiol yma?

Eisoes mae strydoedd America yn ddarlun byw o effaith niweidiol awyrgylch treisiol ar blant. Mae bron pob oedolyn yn America bellach yn cario dryll a nifer fawr o'r plant hefyd. Dyw hi ddim yn bosibl i chi gerdded mewn parc neu ar hyd y stryd bellach yn America rhag ofn i rywun ymosod arnoch chi. Nid ymosod er mwyn dial, neu hyd yn oed am arian a wna llawer - ond ymosod er mwyn ymosod. Aeth trais yn dduw gyda niweidio a llofruddio yn norm cymdeithasol.

Er mwyn atal ein gwareiddiad rhag llithro'n ôl i farbareiddiwch cyntefig y goedwig, rhaid i ni weithredu nawr i atal gwerthu a dosbarthu pob ffilm, fideo, a gêm fideo treisiol yn ein gwlad. Os na wnawn ni hynny fe fyddwn yn creu anwarineb newydd - byd lle mae plant wedi colli eu diniweidrwydd. Byd lle mae plant yn lladd plant.

TRAFOD

Cyn mynd ati i lunio traethawd barn rhaid i chi drafod y pwnc yn fanwl yn eich dosbarth gan wneud nodiadau ar y prif ddadleuon dros ac yn erbyn y testun dan sylw.

DARLLEN

Darllenwch y prif gylchgronau Cymraeg gan chwilio am erthyglau lle mae'r awdur yn rhoi ei farn ar bwnc arbennig.

Astudiwch yr erthyglau yma i weld eu prif nodweddion o ran ffurf, arddull ac adeiladwaith.

YMARFER

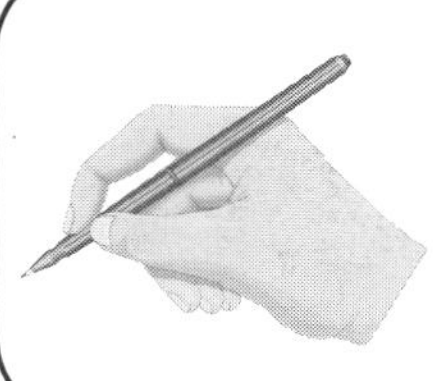

Gwnewch draethawd yn mynegi barn ar bwnc rydych chi'n teimlo'n gryf iawn yn ei gylch. Cofiwch ddilyn y canllawiau, ymchwilio i'r pwnc a chreu adeiladwaith bendant i'ch traethawd.

SUT I FYNEGI BARN

Gwaith Ymchwil

- ❑ Rhaid darllen yn eang ar y pwnc dan sylw. Mae'n hanfodol gwneud gwaith ymchwil a gofalu bod y ffeithiau'n gywir ac yn gyfoes.

Adeiladwaith

- ❑ Rhaid trefnu'r traethawd yn ofalus gan roi paragraff i bob pwynt pwysig.
- ❑ Trefnwch eich dadl gan ddadlau un pwynt ar y tro.

Cynnwys

- ❑ Rhaid i chi roi lle yn eich traethawd i gydnabod dadleuon yr ochr arall - ac wedyn ceisio'u gwrthbrofi.
- ❑ Rhaid i holl naws y traethawd fod yn gytbwys a theg heb unrhyw osodiadau di-sail. Does dim lle i rethreg neu fynd i hwyl mewn traethawd barn.

Arddull

- ❑ Mae traethawd barn yn llawn o ymadroddion a phatrymau pendant:

Mae'n amlwg fod/nad yw
Mae lle i gredu bod
Mae pawb yn gwybod bod
Does dim amheuaeth fod
Credaf fod
Yr hyn sy'n drist yw fod
Fe ŵyr pawb fod
Rhaid cydnabod bod
Does neb eisiau gweld
Mae'n bwysig iawn
Mae'n sicr

Ar ôl dweud hyn
Er hyn
O ganlyniad
Erbyn hyn
Yn wir
Ar y llaw arall
Yn y diwedd
Wrth reswm
Gwraidd y drwg yw
Yn y bôn
Rhaid gofyn y cwestiwn

Yn ôl rhai
Dylai
Gallai
Dylid cofio mai/taw
Does dim rhyfedd mai/taw
Dywedir mai/taw

Meddyliwch am
Ystyriwch o ddifrif
Cofiwch mai
Onid?

a dweud y gwir	wrth reswm	yn bersonol	felly
a dweud y lleiaf	at ei gilydd	yn ddiau	ar y llaw arall
heb amheuaeth	chwarae teg	yn gyffredinol	eto i gyd
gwaetha'r modd	yn sicr	yn wir	yn ôl pob tebyg
os caf ddweud	heb os nac oni bai	serch hynny	

Os bydd... yna bydd...
Os yw... bydd...
Mae... nid yn unig yn... ond yn...
Er mwyn sicrhau bod... rhaid...
Petai... byddai...
Yn wahanol i... nid yw...
Heb... ni fydd...

ar fai
mae gwir angen
er hynny
er enghraifft

ADOLYGIAD

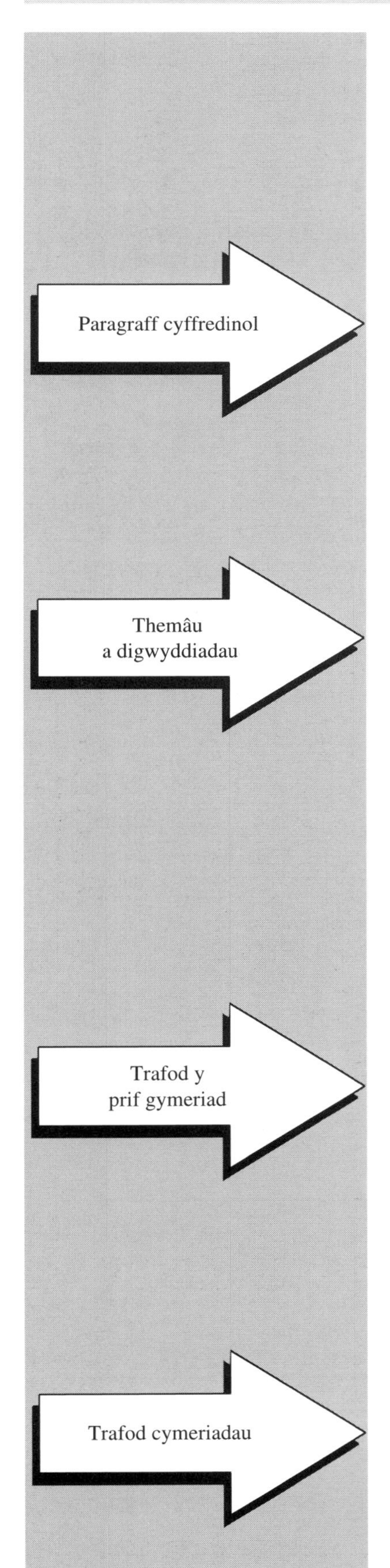

Adolygiad o *Cyn Daw'r Gaeaf* gan Meg Elis

gan Sara Bevan

Nofel ar ffurf dyddiadur yw'r llyfr yma, yn sôn am fywyd gwraig sy'n ymuno ag Ymgyrch Comin Greenham am benwythnos, ac yna'n penderfynu gadael ei gŵr a'i theulu i ymuno â'r ymgyrch yn erbyn arfau niwclear. Yn fy marn i, mae hon yn nofel fydd yn apelio at blant o oedran uwchradd ac oedolion hefyd. Mae clawr y llyfr yn dangos llun Gwersyll Greenham a bathodyn CND ac mae gwaed yn arllwys i lawr y ffens. Mae'r clawr yn drawiadol oherwydd y lliwiau cryf.

Thema'r nofel yw dilema'r awdures - aros gartre a gwneud ei dyletswydd fel mam a gwraig neu wneud ei dyletswydd fel bod dynol, sef mynd i Greenham i ymuno â'r ymgyrch yn erbyn y taflegrau niwclear Americanaidd yno. Ar ddechrau'r nofel mae'r awdures yn pacio ei phethau yn barod i fynd i Greenham gyda'i ffrind Gwenith. Yn Greenham mae hi'n cyfarfod â phobl wahanol. Yn fuan ar ôl hyn mae'n mynd nôl at ei theulu. Mae ei chydwybod yn ei phoeni felly mae'n gwneud trefniadau i fynd yn ôl i Wersyll Emrallt yn barhaol. Mae gweddill y dyddiadur yn canolbwyntio ar y digwyddiadau, y bobl, y profiadau a'r teimladau a ddaeth iddi wrth fyw yng Ngwersyll Emrallt. Ar ddiwedd y nofel mae'r awdures yn mynd at ei theulu dros y Nadolig, yna mae rhaid iddi wneud y penderfyniad anodd - a fydd hi'n mynd nôl i Wersyll Emrallt?

Gan mai nofel ar ffurf dyddiadur yw'r llyfr yma, dydyn ni ddim yn cael gwybod llawer am feddyliau'r cymeriadau eraill. Mae'r prif gymeriad, sef yr awdures, yn gymeriad dewr a phenderfynol. Un o'r pethau sy'n cynnal ein diddordeb yn y nofel yw'r frwydr rhwng dwy egwyddor yn ei meddwl - sef gwrthdaro mewnol. Mae hi'n meddwl am ei phlant drwy'r amser, ond eto mae hi'n gwrthsefyll yr awydd i fynd nôl atyn nhw ac yn parhau gyda'i hymgyrch. Mae'r prif gymeriad yn realistig iawn. Er ei bod yn ddewr a chryf mae hi hefyd yn torri i lawr ambell waith ac yn mynd adre am ychydig. Dydy hi ddim yn ymddangos yn arwres berffaith sy'n fodlon gwneud unrhyw beth i herio awdurdod. Ambell waith mae ofn yn drech na hi. Pan mae hi'n mynd gartre mae hi'n gweld y tŷ yn ddieithr, "Peth od ydy tŷ." Mae hi'n methu cael ei gŵr i ddeall ei theimladau. Oherwydd y pethau hyn mae hi'n fwy realistig am ei bod hi'n teimlo'n annifyr a dryslyd mewn amgylchiadau naturiol. Gwelwn hi'n cweryla gyda'i gŵr ac mae hyn hefyd yn gwneud ei chymeriad yn fyw a real.

Does dim amheuaeth fod y cymeriadau eraill yn y nofel yn realistig hefyd. Trawsdoriad o gymdeithas yw'r merched yn y gwersyll. Radical hollol yw Zee, y rebel, yn gwisgo'n wahanol ac wedi eillio'i phen. Hoffais y gwrthgyferbyniad rhwng Zee â Denise, Colleen a Fiona sy'n fwy synhwyrol a cheidwadol ac sy'n hiraethu am eu plant. Mae yma amrywiaeth eang o gymeriadau - y llysieuwyr, caethion i gyffuriau, lesbiaid, pobl o wledydd tramor, i gyd yn uno'n erbyn y bomiau.

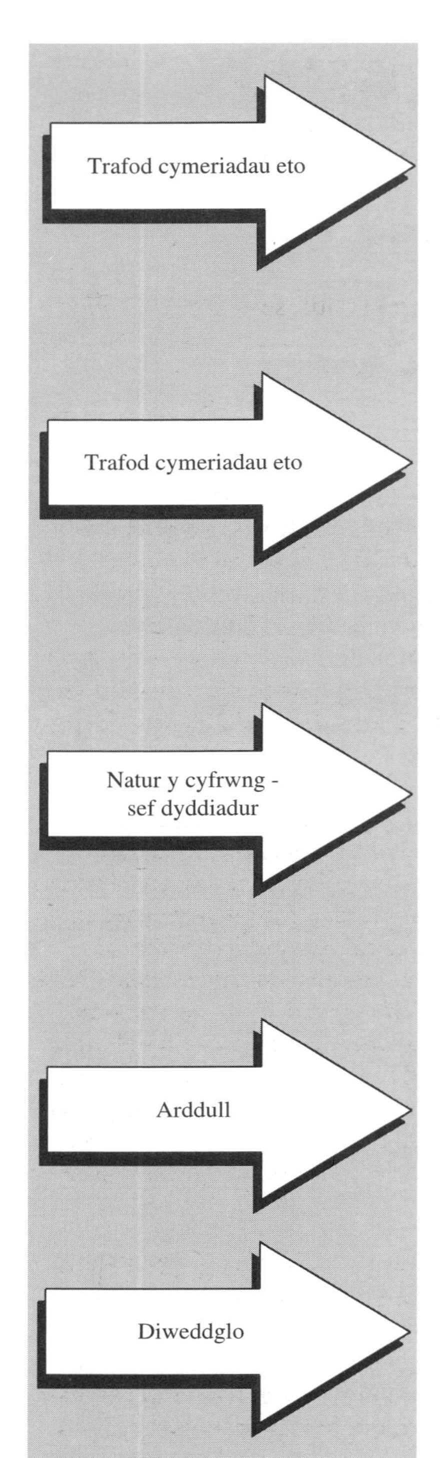

Mae gwrthdaro rhwng y cymeriadau yn creu diddordeb yn y nofel megis rhwng Sam a Marie a cheir rhai cymeriadau yn siarad yn sbeitlyd tu ôl i gefnau rhai eraill. Yr unig gymeriad afreal yw gŵr y prif gymeriad oherwydd y mae e, yn fy marn i, yn rhy berffaith. Er bod ychydig o wrthdaro yn digwydd rhwng y ddau, ar y cyfan mae e'n gwneud popeth yn iawn ac yn deall ei rhesymau am wneud popeth. Dwy i ddim yn credu y byddai hyn yn digwydd mewn bywyd go iawn.

Mae rhai cymeriadau stereoteip yn y nofel megis y blismones gas yn cael ei defnyddio'n effeithiol i wneud i'r arwres edrych yn fwy arwrol ac i greu gwrthgyferbyniad, *"Come on you silly little bitch; name and address and date of birth. Then it's off to the cells."* Cymeriadau effeithiol eraill yw'r milwyr yn yr wylnos. Fe allai'r awdures fod wedi eu portreadu yn unochrog yn gwawdio'r merched, ond yn lle gwneud hynny maen nhw'n dechrau drwy wawdio, ond erbyn diwedd yr olygfa mae'r milwr yn dawel a'i ben i lawr. Mae hyn yn creu un o'r golygfeydd mwya effeithiol yn y llyfr.

Ar y cyfan dyw'r dyddiadur ddim yn ddiddorol iawn. Hynny yw, does dim llawer yn digwydd. Oherwydd hyn mae'r llyfr yn ymddangos yn fwy realistig ac mae'r portreadu byw yn ategu'r effaith yma. Er nad oes llawer yn digwydd yn y llyfr mae rhywbeth yn eich cymell i ddal i ddarllen. Mae'n debyg mai'r ffaith fod yr awdures wedi llwyddo i ail-greu awyrgylch y golygfeydd sy'n gwneud i mi deimlo fel hyn. Mae'r llyfr yn dysgu llawer i ni am deimladau a chymhellion y merched a aeth i Gomin Greenham ac am eu ffordd o fyw. Dysgwn hefyd lawer am y natur ddynol ac am broblemau cyd-fyw gyda phobl eraill.

Mae'r llyfr wedi'i ysgrifennu mewn iaith ogleddol. Mae'r iaith yn ddigon syml a dealladwy. Ceir disgrifiadau da a chofiadwy megis, "Daeth criw o lanciau Newbury heibio i wersyll *Orange Gate* neithiwr gyda'u hanrhegion arferol. Dŵr, cachu a gwaed anifeiliaid, yn domen dros y polythene bregus oedd eisoes yn dechrau cracio yn yr oerfel iasol." Disgrifiad da arall yn creu gwrthgyferbyniad yw'r disgrifiad o'r milwyr, "Dechreuodd y milwyr ganu'n ôl, herio, bychanu..." ac ar ôl canu, "Roedd y milwr ifanc hefyd yn dawel, ei wyneb tua'r llawr."

Dydy hwn ddim yn llyfr da i'w ddarllen os ydych yn hoffi llyfrau llawn cyffro a digwyddiadau, ond os ydych yn edrych am lyfr llawn teimlad didwyll, llyfr addysgiadol a chofiadwy, yna mae'n werth ei brynu.

GWYLIO

Gwyliwch unrhyw ffilm neu fideo gan wneud nodiadau manwl ar y canlynol: thema, prif gymeriadau, cymeriadau eraill, defnydd o'r cyfrwng, arddull.

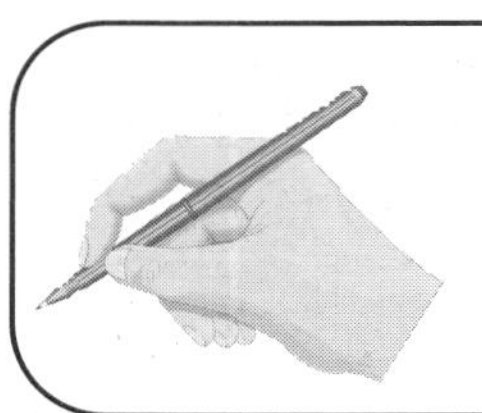

YMARFER

Ysgrifennwch adolygiad o unrhyw fideo neu ffilm Gymraeg.

Adolygiad o ffilm
Milwr Bychan gan Karl Francis

gan Dafydd Williams

Cyflwyniad

Mae'r ffilm *Milwr Bychan* yn ymdrin â phwnc dadleuol a sensitif, sef y trafferthion yng Ngogledd Iwerddon a sut mae milwr ifanc o Gymru yn cael ei wneud yn fwch dihangol gan y Llywodraeth er mwyn tawelu teimladau cryf yn Iwerddon.

Crynodeb o'r ffilm

Ffilm gyffrous a thrawiadol yw hon, a chafodd argraff fawr arna i. Oherwydd diweithdra, tlodi ac anobaith ei fywyd yng Nghymru mae bachgen syml a diniwed, Wil, yn ymuno â'r Fyddin. Ar y dechrau mae Wil yn mwynhau ei fywyd cyffrous, newydd. Mae e'n falch o'i iwnifform ac yn datblygu'n filwr da. Ond ar batrôl yng Ngogledd Iwerddon daw'r digwyddiad sy'n newid ei fywyd. Yn ystod ffrwgwd ar y stryd mae Wil yn saethu Gwyddel ac mae natur sensitif y digwyddiad a'r teimladau cryf yn Iwerddon yn arwain y Llywodraeth i'w gyhuddo o lofruddiaeth a cheisio'i gael i bledio'n euog er mwyn osgoi achos llys hirfaith. Ond dadleua Wil ei fod wedi gwneud yr hyn roedd e wedi'i hyfforddi i'w wneud. Os oedd e'n euog, yna roedd y Fyddin yn euog hefyd. Oherwydd i Wil wrthsefyll ymdrechion y Fyddin i'w gael i bledio'n euog mae'n cael ei gam-drin yn gyson yn y carchar.

Prif thema'r ffilm

Un o brif themâu'r ffilm yw creulondeb y Fyddin, ac mae hyn yn adlewyrchu syniadau gwrth-filitaraidd Karl Francis. Mae'r creulondeb yn cael ei bwysleisio o ddechrau'r ffilm tan y diwedd. Ceir golygfa ar ddechrau'r ffilm lle mae milwyr yn ymosod ar ddau bysgotwr diniwed heb reswm. Yn ystod y ffilm gwelwn sut mae'r milwyr yn cael eu hyfforddi i ymddwyn yn gïaidd a chreulon. Er enghraifft, yn ystod yr hyfforddiant mae'r Sarjant yn dweud, "Mae rhaid i chi ddysgu ymladd yn fochedd", ac meddai, *"Use minimum force at all times. Minimum force for an old lady is to kick her up the arse. Minimum force for an enemy gunman is to blow his head off."* Mae'r Fyddin nid yn unig yn greulon i'r Gwyddelod ond hefyd i Wil yn ystod ei gyfnod yn y gell. Mae Wil yn cael ei sarhau a'i gam-drin yn gyson. Er enghraifft, mae swyddog yn damsang ar law waedlyd, chwyddedig Wil ac wedyn yn ei orfodi i lanhau'r toiled gyda'r un llaw. Mae'r gwaed sy'n llifo o'r llaw yn cael ei bwysleisio gyda'r camera yn canolbwyntio arno ac mae'r gwaed yn symbol o ddioddefaint Wil.

Thema arall

Thema arall sy'n cael ei phwysleisio'n gyson drwy'r ffilm yw tlodi pobl gyffredin a'u dioddefaint. Daw Wil o gefndir dosbarth gweithiol. Ceir golygfa symbolaidd o'r tlodi lle mae'r sbwriel yn chwythu o gwmpas ar y stryd tu allan i gartre Wil a'r plant yn fandaleiddio car. Er mwyn dianc rhag yr anobaith, y tlodi a'r diweithdra mae Wil yn ymuno â'r Fyddin. Meddai Wil, "Does dim dewis gyda fi. Does dim byd arall i fi mas fan na." Gwelwn yn y ffilm ddioddefaint y dosbarth gweithiol yn Iwerddon hefyd. Dangosir tlodi ac afiechyd ewythr Gwyddelig Wil. Effeithiol iawn oedd y gwrthgyferbyniad rhwng y golygfeydd o Wil yn cael ei fwydo yn ei gell a'r olygfa o'r Swyddog a'r Gwleidydd yn bwyta brechdanau ac yn yfed gwin mewn stafell gyfforddus. Mae hyn yn symbolaidd o'r bwlch rhwng y dosbarth gweithiol a'r dosbarth uwch. Mae Karl Francis yn Sosialydd ac yn ymosod ar annhegwch cymdeithasol.

Hiwmor

Er bod y ffilm yn delio gyda phwnc difrifol iawn mae'r awdur wedi llwyddo i'w ysgafnhau drwy ddefnyddio hiwmor. Ceir hiwmor yn yr olygfa lle mae Wil yn pisio yn "ddamweiniol" dros y swyddog sy'n ei gam-drin. Dywed y Corporal wrth Wil, *"Wash your hands."* ac mae Wil yn ateb gan chwerthin, *"I didn't piss over mine."* Ceir hiwmor yn yr olygfa lle mae Wil yn hongian dymi o'r golau yn ei gell. Ar ôl agor y drws ar frys mae'r swyddog yn gweld Wil yn chwerthin yng nghornel y gell a'r geiriau, *"Kill a Mick. Win a Metro."* wedi'u peintio ar y wal. Yn fy marn i, mae'r defnydd o hiwmor yn y ffilm yn effeithiol iawn, ac mae'r awdur yn llwyddo i gyfleu neges ddifrifol y ffilm mewn ffordd ysgafn a thrawiadol.

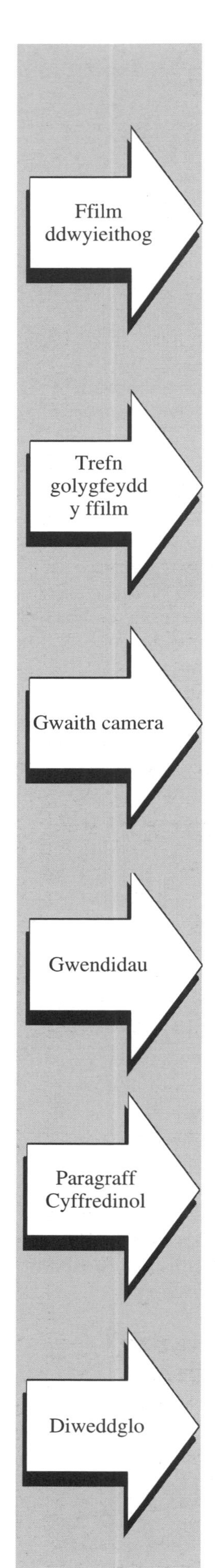

Dyw hon ddim yn ffilm uniaith Gymraeg. Yn hytrach, mae'n ffilm ddwyieithog sy'n cyflawni rhywbeth na ellid bod wedi'i wneud mewn ffilm uniaith Saesneg neu uniaith Gymraeg. Credaf fod y dwyieithrwydd yn effeithiol iawn ac yn tanlinellu nifer o bwyntiau, megis yn yr olygfa lle mae Wil yn camgyfieithu stori amdano fe'i hunan i'w gariad Gwyddelig, Deirdre. Yn Gymraeg mae Wil yn dweud y gwir amdano'i hun, ond yn Saesneg adrodda Wil ffantasi ramantus. Mae Wil yn siarad Cymraeg yn gyson gyda'r swyddogion ac mae hyn yn eu cynddeiriogi fwyfwy. Er enghraifft, dywed Wil wrth y Sarjant, "Fyddwn i ddim yn pisio arnat ti os oeddet ti ar dân." Mae'r swyddogion yn gweiddi, *"Speak English!"* yn gyson, ac mae Wil yn dioddef o ganlyniad iddo wrthod siarad Saesneg. Mae'r ffaith fod Wil yn mynnu siarad Cymraeg yn symbol o'i her i'r drefn ac o'i benderfyniad i wrthsefyll ymdrechion y Fyddin i'w dorri. Credaf fod Karl Francis drwy'r defnydd o'r iaith Gymraeg yn ceisio awgrymu bod unrhyw Gymro yn y Fyddin Brydeinig yn bradychu ei gyd-Gymry, ac wrth wasanaethu yng Ngogledd Iwerddon yn ymladd yn erbyn ei gyd-Geltiaid.

Ceir nifer o olygfeydd trawiadol drwy'r ffilm; drwy ddefnyddio'r dechneg o ôl-fflachio rydyn ni'n mynd mewn i feddwl Wil. Er i'r ffilm gael ei beirniadu am beidio ag adrodd y stori mewn trefn gronolegol ac am greu cymhlethdod diangen, credaf fod y dechneg yma'n effeithiol iawn a cheir nifer o olygfeydd cofiadwy. Er enghraifft, yr olygfa yn yr ysbyty lle gwelwn res hir o filwyr wedi'u hanafu, ac yn y golygfeydd o'r milwyr yn delio gyda reiat ar y stryd. Trwy'r golygfeydd yma a'r effeithiau sain trawiadol ceir argraff fyw o'r trafferthion sy'n wynebu pobl Gogledd Iwerddon bob dydd.

Dydy'r ffilm ddim yn nodweddiadol o'r mwyafrif o ffilmiau diweddar oherwydd does fawr o ddefnydd o effeithiau arbennig. Yn hytrach, mae Karl Francis yn defnyddio technegau ffilmio syml megis defnydd da o'r camera er mwyn creu golygfeydd trawiadol a chofiadwy. Ceir gwaith camera da yn y golygfeydd o'r ymladd ar y stryd gyda defnydd effeithiol o effeithiau sain. Does dim deialog yn y golygfeydd yma, ond mae'r synau, gweiddi, sgrechian, seiren yn canu, sŵn llosgi, a'r milwyr yn taro eu pastynau yn erbyn eu tariannau yn creu awyrgylch trawiadol. Golygfa arall lle ceir defnydd da o'r camera yw ar ddiwedd y ffilm gyda Wil yn sefyll yn unig yng nghanol sgwâr ar ôl iddo gael ei droi allan o'r Fyddin.

Mae gan Karl Francis y gallu i bortreadu cymeriadau yn gryf iawn, ond prif wendid y ffilm yw fod y cymeriadau yn rhy ddu a gwyn, y rhai da yn hollol ddiniwed a'r rhai drwg yn gyfan gwbl ddrwg. Portreadir Wil fel rhywun sy bron yn sanctaidd. Mae Wil yn maddau i'r Fyddin a'r Corporal am ei gam-drin ac yn fy marn i dyw hyn ddim yn realistig, ac mae'n gwanhau neges y ffilm.

Er gwaethaf y cymeriadau stereoteip, fe geir perfformiadau ardderchog gan y cast i gyd. Chwaraeir rhan Wil gan Richard Lynch ac, o ystyried mai myfyriwr pedair ar bymtheg oed oedd e ar y pryd, cafwyd perfformiad rhyfeddol ac argyhoeddiadol ganddo. Ceir perfformiadau da gan Bernard Lathan fel y Corporal a hefyd gan W J Phillips fel Kevin, y swyddog ym Myddin yr Iachawdwriaeth, a hen gyfaill i Wil.

Gwelwn drwy'r ffilm safbwynt gwrth-filitaraidd a Sosialaidd Karl Francis yn dod i'r amlwg. Does dim amheuaeth fod y propaganda gormodol yma yn amharu ar effeithiolrwydd y ffilm. Er gwaethaf ei gwendidau, mae hon yn ffilm drawiadol. Dywedodd beirniaid Llundain fod y ffilm yn bropaganda gwrth-Brydeinig. Ond yn fy marn i, er bod hyn yn wir, mae'r ffilm yn llwyddo i ddefnyddio sefyllfa Gogledd Iwerddon i sôn am faterion sylfaenol iawn. Prif thema'r ffilm yw creulondeb y Fyddin, dioddefaint pobl gyffredin, a sut mae'r dosbarth gweithiol yn cael ei egsploetio gan y dosbarth uwch. Ffilm gofiadwy yw hon ac fe wnaeth argraff fawr arna i. Heb amheuaeth y mae'n ffilm gwerth ei gweld.

SUT I YSGRIFENNU ADOLYGIAD

Y prif beth yw cael cynllun pendant i'ch adolygiad a gwneud yn siŵr eich bod yn trafod y pethau pwysig i gyd wrth adolygu. Dyma enghraifft o gynllun ar gyfer adolygu nofel:

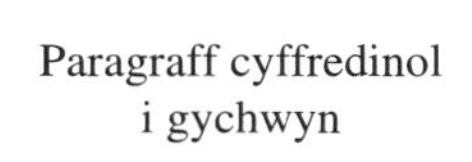

Paragraff cyffredinol i gychwyn	Rhowch ychydig o wybodaeth am y nofel yn gyffredinol - enw'r llyfr a'r awdur/teip o lyfr (nofel, hunganofiant ac ati)/addas i ba oedran/clawr y llyfr.
Crynodeb o brif thema a digwyddiadau'r llyfr	Rhowch grynodeb byr o brif thema'r llyfr a chrynodeb byr o'r prif ddigwyddiadau, ond peidiwch ag ailadrodd y stori i gyd. Un paragraff yn unig i'r crynodeb.
Trafod y cymeriadau - unochrog/amlochrog	Trafodwch y cymeriadau. Trafodwch yr arwr/arwres. Arwynebol? Credadwy? Realistig? Mynd mewn i feddwl y cymeriad? Ydy'r cymeriadau yn amlochrog/ cymysgedd o dda a drwg? Ydy'r cymeriadau yn stereoteipiau/cymeriadau unochrog? Oes gwrth-gyferbyniad rhwng cymeriadau? Oes gwrthdaro rhwng cymeriadau? Ydy'r cymeriadau yn datblygu yn ystod y nofel?
Trafod dull naratif a phlot y nofel	Trafodwch ddull naratif y nofel - adrodd y stori yn y trydydd person neu'r person cyntaf? Trafodwch blot ac adeiladwaith y nofel. Ydy'r plot yn gredadwy? Oes gormod o gyd-ddigwyddiadau, neu gymeriadau yn newid yn rhy sydyn neu ddiweddglo annisgwyl?
Gwendidau a rhagoriaethau'r nofel	Ydy'r llyfr yn dda gan ystyried y math o lyfr yw e? Antur - ydy e'n symud yn gyflym gyda digon o gyffro? Arswyd - creu tensiwn? Serch - rhy neis-neis? Oes gwendid yn y llyfr - ydych chi'n colli diddordeb?
Arddull y nofel	Arddull - syml? darllenadwy? Rhowch ddyfyniadau byr (dim fwy na dwy frawddeg) o'r pethau gorau yn y llyfr - e.e. disgrifiadau. Ydy'r ddeialog yn gredadwy? Oes digon o ddeialog? Tafodiaith?
Paragraff cyffredinol i gloi	Paragraff cyffredinol i gloi. Fydd y llyfr yn boblogaidd? Apelio at yr ifanc? Fyddech chi'n ailddarllen y llyfr? Ydy'r llyfr yn dweud rhywbeth sylfaenol am fywyd?

Llyfryddiaeth Gefnogol

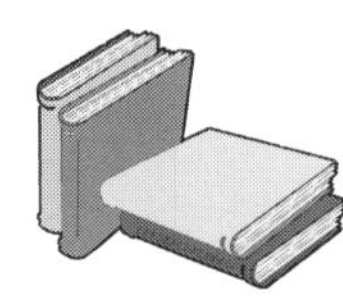

Cyfeirir at y llyfrau canlynol yng nghorff y testun. Gellir eu defnyddio i gefnogi'r ymarferion:

Cysgod y Cryman, Islwyn Ffowc Elis, Gwasg Gomer.

Storïau'r Dychymyg Du, Geraint Vaughan Jones, Gwasg Gomer.

Arswyd y Byd, T Llew Jones, Gwasg Gomer.

Sna'm llonydd i' ga'l, Margiad Roberts, Gwasg Carreg Gwalch.

Dyddiadur Anne Frank, addasiad Eigra Lewis Roberts, Ashley Drake Publishing.

Tydi Bywyd yn Boen, Gwenno Hywyn, Gwasg Gwynedd.

Pan Fi Duw, Pam Fi?, John Owen, Y Lolfa.

Angharad, Mair Wynn Hughes, Gwasg Gomer.

Pwy sy'n Euog?, Joan Lingard, addasiad John Rowlands, Gwasg Gomer.

Y Llyffant, Ray Evans, Gwasg Gomer.

Geiriau'r Newyddion, (Radio Cymru) BBC.

Canllaw i Greu, Canolfan Astudiaethau Addysg, Aberystwyth (CAA).

Torri Gair, Euros Jones Evans, Canolfan Astudiaethau Addysg, Aberystwyth (CAA).

Ieuenctid a Henaint, Cynllun Gorwelion.

Cyfres y Llwyfan, Gwasg Carreg Gwalch.